pizzas

Stylisme culinaire: Pouké
Stylisme des accessoires: Carol Hacker/Tableprop
Révision et correction: Odette Lord
Infographie: Johanne Lemay

Catalogage avant publication de Bibliothèque et Archives nationales du Québec et Bibliothèque et Archives Canada

Johns, Pamela Sheldon

Pizzas

(Tout un plat!)

Traduction de: Pizza Napoletana!

1. Pizza. I. Titre. II. Collection.

TX770.P58J6314 2008   641.8'248   C2007-942314-0

Pour en savoir davantage sur nos publications,
visitez notre site: **www.edhomme.com**
Autres sites à visiter: www.edjour.com
www.edtypo.com • www.edvlb.com
www.edhexagone.com • www.edutilis.com

01-08

© 1999, Pamela Sheldon Johns et Jennifer Barry Design (texte)
© 1998, Richard G. Jung (photos)
© Paul Thompson/Photo Network, Tustin, Californie (photo page 2)

Traduction française:
© 2008, Les Éditions de l'Homme,
une division du Groupe Sogides inc.,
filiale du Groupe Livre Quebecor Média inc.
(Montréal, Québec)

L'ouvrage original a été publié
par Ten Speed Press,
sous le titre *Pizza Napoletana!*

Dépôt légal: 2008
Bibliothèque et Archives nationales du Québec

ISBN 978-2-7619-2257-9

DISTRIBUTEURS EXCLUSIFS:

• Pour le Canada et les États-Unis:
MESSAGERIES ADP*
2315, rue de la Province
Longueuil, Québec J4G 1G4
Tél.: (450) 640-1237
Télécopieur: (450) 674-6237
* une division du Groupe Sogides inc.,
  filiale du Groupe Livre Quebecor Média inc.

• Pour la France et les autres pays:
INTERFORUM editis
Immeuble Paryseine, 3, Allée de la Seine
94854 Ivry CEDEX
Tél.: 33 (0) 4 49 59 11 56/91
Télécopieur: 33 (0) 1 49 59 11 33
Service commandes France Métropolitaine
Tél.: 33 (0) 2 38 32 71 00
Télécopieur: 33 (0) 2 38 32 71 28
Internet: www.interforum.fr
Service commandes Export – DOM-TOM
Télécopieur: 33 (0) 2 38 32 78 86
Internet: www.interforum.fr
Courriel: cdes-export@interforum.fr

• Pour la Suisse:
INTERFORUM editis SUISSE
Case postale 69 – CH 1701 Fribourg – Suisse
Tél.: 41 (0) 26 460 80 60
Télécopieur: 41 (0) 26 460 80 68
Internet: www.interforumsuisse.ch
Courriel: office@interforumsuisse.ch
Distributeur: OLF S.A.
ZI. 3, Corminboeuf
Case postale 1061 – CH 1701 Fribourg – Suisse
Commandes: Tél.: 41 (0) 26 467 53 33
              Télécopieur: 41 (0) 26 467 54 66
              Internet: www.olf.ch
              Courriel: information@olf.ch

• Pour la Belgique et le Luxembourg:
INTERFORUM editis BENELUX S.A.
Boulevard de l'Europe 117,
B-1301 Wavre – Belgique
Tél.: 32 (0) 10 42 03 20
Télécopieur: 32 (0) 10 41 20 24
Internet: www.interforum.be
Courriel: info@interforum.be

Gouvernement du Québec – Programme de crédit d'impôt pour l'édition de livres – Gestion SODEC – www.sodec. gouv. qc. ca

L'Éditeur bénéficie du soutien de la Société de développement des entreprises culturelles du Québec pour son programme d'édition.

Nous reconnaissons l'aide financière du gouvernement du Canada par l'entremise du Programme d'aide au développement de l'industrie de l'édition (PADIÉ) pour nos activités d'édition.

tout un plat !

pizzas

Pamela Sheldon Johns

Traduit de l'anglais par Odette Lord

LES ÉDITIONS DE L'HOMME

Dans tout le Sud de l'Italie, on peut apercevoir des tomates cerises d'un beau rouge vif qui pendent en grappes dans les cuisines. On les appelle pomodorini del piennolo et ce sont les tomates que l'on tranche et que l'on sert sur la Pizza Margherita Extra, selon les normes de la Denominazione di Origine Controllata (DOC).

Le taxi dans lequel j'étais assise allait et venait dans les rues étroites de Naples, se faufilant dans la circulation d'où émanait la pire des cacophonies, empruntant des sens uniques à l'envers et brûlant des feux rouges. Au milieu de phrases plutôt incompréhensibles que le chauffeur adressait aux autres conducteurs, ses adversaires, j'ai rassemblé mon courage et quelques mots pour lui demander, dans un italien malgré tout passable: «Quelle est votre pizza préférée?» Il a tourné sa tête vers moi en laissant la route du regard un peu trop longtemps à mon goût et m'a simplement répondu: «Margherita».

La pizza est l'une des plus célèbres versions du pain plat. Toutes les cultures ont leur version de pain plat cuit dans un foyer, de la tortilla des Amériques au *lavash* arménien. On a même trouvé des traces de pains plats, l'un des plus anciens aliments cuits, sur des sites préhistoriques. Source d'énergie, ce mélange de grains broyés et d'eau peut être cuit en utilisant simplement une pierre et du feu, ce qui le rend accessible aux plus pauvres. En Italie, le pain plat s'est transformé selon les régions et, de nos jours, on en trouve encore dans les boulangeries: la *piadina,* qui provient d'Émilie-Romagne, est l'un d'entre eux et la focaccia, que l'on trouve dans tout le pays, en est un autre exemple. Le mot focaccia signifie pain plat et ce mot vient du latin *focacius* qui signifie foyer. Jadis, ces pains étaient considérés comme de la nourriture de paysans et étaient vendus dans la rue à ceux qui n'avaient pas les moyens d'avoir leur propre four.

Quand les tomates sont passées des Amériques à l'Espagne, puis à l'Italie à la fin du 18e siècle, c'est la ville de Naples, dans le Sud de la Campanie, qui a commencé à les utiliser sur les pains plats. La pizza est maintenant le pain plat le plus populaire de l'Italie. Carol Field, auteur du livre *The Italian Baker*, dit de la pizza que c'est «le premier plat national du pays».

Naples, qui a été victime de plusieurs conquêtes, mais qui en a aussi bénéficié, possède une histoire passionnante. Cette ville fondée par les Grecs s'appelait Neapolis et constituait le centre du royaume Magna Graecia. Les Romains l'ont habitée au 4e siècle avant notre ère et les Espagnols et les Français, entre autres, ont laissé leurs traces dans les domaines de la langue, de l'architecture et de la cuisine. Les Napolitains revendiquent le fait que c'est à Naples qu'est née la pizza, mais l'histoire accorde davantage de crédit aux Grecs et aux Romains. L'auteur Elizabeth Romer décrit la passion actuelle des Napolitains pour la pizza comme un culte, à Naples. Cette description est tout à fait pertinente car, dans cette ville, mythologie, passion et pizza sont intimement liées.

Dans les années 1780, Naples était à son apogée, c'était au temps où les Bourbons avec leurs richesses et leur fougue y étaient en grand nombre. Les marchands ambulants achetaient leurs pizzas de petits comptoirs et parcouraient la ville en vendant des pointes qu'ils prenaient dans une boîte de métal à couvercle ou qui étaient sur une petite table (*tavolino*). Les comptoirs faisaient les pizzas sur commande avec des ingrédients simples et de saison, incluant la tomate récemment découverte. C'est probablement à cette époque qu'est née la Pizza Marinara dont la garniture comporte des tomates, de l'ail, de l'origan et de l'huile d'olive. Une pizza qui avait été livrée au roi Ferdinando Ier et à la reine Maria Carolina par la Taverna del Cerriglio a été si bien reçue que le roi fit construire un four à pizza en carreaux rouges au palais Capodimonte. (Une autre version de l'histoire raconte que la reine Maria Carolina, une princesse de la dynastie des Habsbourg, ne permettait pas que l'on vienne livrer de la pizza au palais. Le roi devait donc sortir s'il voulait manger son plat favori. Fatigué des inconvénients que cela entraînait, il fit construire son propre four.)

C'est en 1830 que la première pizzéria ouvrit ses portes au cœur de Naples. Elle portait le nom d'**Antica Pizzeria Port'Alba**. L'endroit est vite devenu le lieu de rencontre des passants. Pour ceux qui pouvaient se le permettre, la maison servait des pizzas garnies de coquillages et de fruits de mer frais, de mozzarella de bufflonne, de viandes froides et même parfois de *cecinielli,* de tout petits poissons blancs qui sont encore à l'état larvaire. À cette époque, la pizza Mastunicola était populaire, mais on ne la trouve plus aujourd'hui. Elle était garnie

de lard, de pecorino râpé au lait de brebis et de basilic. Pour assaisonner les pizzas, l'origan et le basilic étaient les épices favorites, comme aujourd'hui. Mais la plupart des clients de la pizzéria étaient des artistes, des étudiants ou des travailleurs qui avaient un budget restreint, la pizza que l'on servait le plus souvent était donc tout simplement assaisonnée d'huile et d'ail. Les pizzérias avaient mis au point un système de paiement à crédit. On appelait la pizza achetée de cette façon pizza de huit jours (*pizza a otto),* soit mangez maintenant et payez dans 8 jours. La plaisanterie qui circulait alors était de savoir si la pizza pouvait devenir le dernier repas gratuit d'un homme, s'il mourait avant de payer. La pizza était vendue aux passants accompagnée de morceaux de pâte frite parsemée de prosciutto, de fines herbes ou de fromage. On en trouvait aussi diverses formes faciles à transporter et à manger. La pizza a d'abord été faite avec des retailles de pâte, mais elle a évolué et on a vu apparaître une nouvelle forme, la pizza frite, que l'on peut encore trouver dans certaines pizzérias.

«Quelle est votre pizza préférée?», ai-je demandé à l'homme qui était assis devant moi.

Contrairement au chauffeur précédent, ce chauffeur de taxi m'impressionnait. Il portait un uniforme et une cravate, sa voiture était d'une propreté impeccable et il écoutait de l'opéra à la radio. Sans hésitation, il m'a répondu: «Mais c'est la Pizza Margherita.» Et il a passé le reste de la course à me raconter l'histoire du nom de sa pizza et de ses pizzérias préférées.

Il m'a appris que la première Pizza Margherita traditionnelle a été faite, ou à tout le moins nommée, par Raffaele Esposito de la Pizzeria Pietro il Pizzaiolo qui porte maintenant le nom de **Pizzeria Brandi**. En 1889, Raffaele Esposito fut invité au palais pour la visite du roi Umberto Ier et de la reine Marguerite de Savoie. Il devait créer trois pizzas. La reine déclara que sa pizza préférée était celle qui avait les couleurs du drapeau italien (le rouge des tomates, le blanc de la mozzarella et le vert du basilic). Cette pizza est vite devenue l'une des pizzas traditionnelles de Naples et on l'a baptisée Pizza Margherita en l'honneur de la reine.

À la fin du 17e siècle, la vie était très dure pour les paysans italiens. Au tournant du siècle, cinq millions d'Italiens prirent le chemin des États-Unis et 80% d'entre eux provenaient du Sud. Leur culture et leur cuisine débarquèrent en Amérique avec eux. C'est en 1905 que le Napolitain Gennaro Lombardi ouvrit la première pizzéria à New York. À l'origine, elle était située au 53, Spring Street, elle a maintenant rouvert ses portes au 32 de la même rue. Aujourd'hui, la pizza représente une industrie de 30 milliards de dollars aux États-Unis. Dans les transformations qu'a connues la pizza, la pâte a parfois été fine, parfois plus épaisse, elle a pris plusieurs formes et les garnitures ont repoussé les limites de l'imagination. L'expert culinaire Burton Anderson mentionne qu'il y a un renouveau dans le monde des pizzas américaines, à cause des changements de taille, de forme, de méthodes de cuisson et d'ingrédients qu'elle a subis.

C'est seulement au cours des vingt dernières années que les pizzérias napolitaines sont devenues des restaurants où l'on peut s'asseoir. De nos jours, même les restaurants les plus réputés peuvent avoir des fours au bois, ce qui leur permet d'offrir à leurs clients des pizzas en entrée. Et inversement, certaines pizzérias ont commencé à ajouter d'autres genres de plats à leur menu. Les rues colorées

de Naples sont parsemées de comptoirs qui vendent des tranches de pizza pliées en deux comme un petit livre (*a libretto*).

La pizza s'est répandue dans toute l'Italie. Dans les années 50 et 60, les familles se sont déplacées vers le nord, plus industrialisé, à la recherche de travail, et ont apporté avec elles leurs aliments favoris. En fait, en Italie, les ventes totales des pizzérias dépassent celles de Fiat, le plus important fabricant automobile du pays. De plus, les pizzas régionales sont maintenant aussi acceptées que les autres aliments de la région. On y trouve des ingrédients uniques et des variantes, ce qui crée une nouvelle tradition.

Traditionnellement, les fromages locaux que l'on utilisait dans les pizzas comprenaient de la mozzarella faite avec du lait de bufflonne d'Asie, du provolone et du caciocavallo faits avec du lait de vache ainsi que du pecorino fait avec du lait de brebis. De nos jours, plusieurs fromages sont importés d'autres régions et ont été acceptés dans les cuisines de Naples. Le gorgonzola, le Parmigiano-Reggiano et le fontina en sont de bons exemples.

Il doit bien exister maintenant des milliers d'interprétations de la pizza et il y a peu de pays industrialisés qui n'en ont pas. Chaque culture y a laissé sa marque. Au Japon, on sert des pizzas garnies de racines de lotus et à Moscou, on trouve une chaîne de pizzérias. En dépit de toutes ces variantes, Naples conserve un amour que l'on peut qualifier de patriotique pour la pizza traditionnelle. Plusieurs croient que c'est l'endroit où l'on peut manger la meilleure pizza. Dans les pages qui suivent, je vous présente la méthode originale ainsi

que les ingrédients pour préparer la véritable pizza napolitaine traditionnelle. Ensuite, suivent les variantes régionales avec quelques pains cuits sur la sole et des préparations pour faire la pâte. Mais commençons d'abord par les deux pizzas traditionnelles de Naples: la Pizza Margherita garnie de tomates, de mozzarella de bufflonne, d'huile d'olive et de basilic frais et la Pizza Marinara garnie de tomates, d'huile d'olive, d'ail et d'origan.

LA PIZZA NAPOLITAINE

En Italie, on produit chaque jour environ 7 millions de pizzas et, en plus, de nombreuses interprétations délirantes font leur apparition un peu partout dans le monde. Il n'est donc pas étonnant que des fabricants de pizzas ont décidé de s'unir au milieu des années 90 pour créer le groupe baptisé Associazione Vera Pizza Napoletana dont l'objectif était de défendre l'intégrité de leur produit. Les normes de l'association ont été tirées des travaux de Carlo Mangoni, professeur de physiologie et de nutrition à la Second University de Naples. L'association a aussi mis sur pied des cours qui mènent à l'obtention d'un diplôme. Son logo représente le personnage de Polichinelle qui tient une palette à pizza. Quand une pizzéria affiche cet emblème, cela signifie qu'elle sert de la pizza napolitaine authentique (*vera pizza napoletana*).

L'association, en collaboration avec la ville de Naples, a demandé au professeur Mangoni de faire des recherches pour retrouver les ingrédients et la méthode traditionnels qui composaient la véritable pizza napolitaine. Le professeur a présenté un document de 42 pages qui exposait les grandes lignes des origines de la pizza et qui décrivait les ingrédients traditionnels, la méthode de préparation ainsi que la cuisson. Il concluait par une analyse nutritionnelle détaillée.

Ce compte rendu fut le premier pas dans la tentative d'établir une dénomination d'origine contrôlée (DOC) pour la pizza, une appellation d'origine que l'on pourrait comparer aux zones DOC des producteurs de vin. La dénomination d'origine contrôlée (Denominazione di Origine Controllata) ne fait pas que déterminer l'origine géographique de certains aliments et vins, elle passe aussi en revue les ingrédients qu'il est permis d'utiliser et définit la méthode de production. C'est encore une fois le professeur Mangoni qui a préparé les documents nécessaires pour obtenir l'approbation de l'agence gouvernementale désignée pour établir les lois et les règlements des arts, des biens et services en Italie, la Ente Nazionale Italiano di Unificazione (UNI).

Le processus d'approbation a commencé par des entrevues de 40 fabricants de pizza napolitaine à qui l'on a demandé d'expliquer de quelle façon ils fabriquaient leur pizza. Les laboratoires de l'université ont ensuite essayé les recettes données, puis fait une analyse complète de la pâte, des tomates et de l'huile. Les études comportaient un travail complexe comme des photos microscopiques de la pâte qui gonfle, étape par étape.

En juin 1998, arriva la bonne nouvelle : la pizza napolitaine traditionnelle (*pizza napoletana, verace pizza napoletana*) était maintenant une entité protégée. L'appellation d'origine se limite à deux pizzas : la Margherita et la Marinara. C'est lors d'une cérémonie officielle que le maire Antonio Bassolino a dévoilé le nouveau logo : en toile de fond, un bleu rappelant le ciel de Naples, puis de gros traits blancs évoquant la silhouette du Vésuve et, au premier plan, une interprétation de la Pizza Margherita où l'on distingue bien le rouge des tomates et les cercles blancs de la mozzarella de bufflonne. La lettre *v* du mot

verace, qui signifie authentique, est faite de 2 feuilles de basilic et forme le point du *i* du mot pizza. Pour la pizza napolitaine, les restaurateurs qui respectent les normes et qui acceptent de faire évaluer leur travail peuvent afficher ce logo, comme c'est le cas pour le coq noir du Chianti.

Rien dans les normes ne spécifie que la pizza doit être faite à Naples, pas plus qu'en Italie. N'importe quel restaurant du monde peut donc dire que les deux types de pizza respectent les normes de la DOC. Le maire Bassolino explique : «Dans un sens, cette initiative est un consentement à exporter notre culture gastronomique en normalisant les règles et en offrant la garantie d'un bon repas. En retour, les visiteurs sont les bienvenues au pays de la pizza. De cette façon, nous pourrons faire connaître au monde entier la qualité de nos produits.» Le maire avait alors comme projet de lancer une Pizzafest annuelle dans la première semaine d'octobre, un peu à l'image de l'Octoberfest qui se tient en Allemagne.

Même à Naples, dans la plupart des pizzérias, vous devez demander une pizza DOC. Si vous demandez simplement une Pizza Margherita ou Marinara, on peut vous apporter une variante faite avec de la mozzarella Fior di latte, au lait de vache, plutôt qu'avec de la mozzarella de bufflonne (pour plus d'explications, voir p. 39) ou on peut avoir utilisé un autre type d'huile plutôt que de l'huile d'olive.

Malgré la description précise de la DOC, certaines variantes vont sûrement subsister, car le *pizzaiolo* est un artisan. Suivez-moi et je vous ferai visiter quelques-unes de mes pizzérias préférées dans un voyage où nous tenterons de découvrir la pizza napolitaine authentique.

COMMENT FAIRE LA PÂTE ET LA FAÇONNER

Je flânais dans les ruelles aux innombrables boutiques. On y voyait des vitrines de pains et de fromages à côté de comptoirs de magnifiques produits où pendaient des tresses d'ail et des grappes de tomates cerises. J'ai traversé la Piazza del Plebiscito, la place la plus importante de Naples. Tout près se trouvent le Theatro San Carlo, le plus grand opéra d'Italie, le palais et l'impressionnant musée de dorure et de verre.

Quand je me suis arrêtée pour demander à un policier comment me rendre à la Via

Alabardieri, je n'ai pu m'empêcher de lui poser ma fameuse question : «Quelle est votre pizza préférée?» Mais je ne fus pas surprise de sa réponse : Margherita.

C'est depuis l'âge de 12 ans que Massimo di Porzio travaille à la pizzéria **Umberto**, l'entreprise familiale. En 1921, son grand-père Umberto a ouvert le restaurant, une petite trattoria, à l'époque. Don Umberto était réputé pour son choix de vins locaux exceptionnels et pour l'excellence de sa table. En misant sur sa réputation, il agrandit son commerce en 1926. Il avait l'habitude de dire : «Un restaurant, ce n'est pas seulement les clients.» Leopoldo Arienzo, qui prépare les pizzas chez Umberto depuis plus de 15 ans, met cette affirmation en pratique : «C'est l'utilisation des ingrédients authentiques qui fait la bonne réputation d'un restaurant.»

«Ce qui est fondamental dans la pizza, c'est la croûte», répètent les Napolitains. De tous les éléments de leur produit, c'est la simple combinaison de farine, d'eau, de sel et de levure qui fait que la pizza est unique. Le secret, c'est le temps total pendant lequel on laisse la pâte gonfler, il faut 6 h ou plus. On utilise très peu de levure pour ce lent

travail, ce qui donne une pâte moelleuse et très tendre.

Selon les normes de la DOC, pour faire la pâte, il est permis d'utiliser un batteur électrique approuvé. Si l'on songe à la quantité de pâte requise tous les jours, cette recommandation a un côté pratique. Même avec un batteur, la pâte doit être malaxée pendant 30 min, il est donc important de s'assurer que le batteur ne surchauffe pas la pâte, ce qui détruirait la levure.

Quand la pâte a gonflé pendant les quatre premières heures, on la façonne en petites boules d'environ 180 g (6 oz) chacune, la *pagnotta*. Le *pizzaiolo* peut juger du premier coup d'œil comment séparer la pâte, puis il l'étire et reforme chaque boule avant de la placer dans la *madia,* une caisse en bois munie d'un couvercle, où il laissera gonfler les boules de pâte encore de 2 à 4 h. Massimo ainsi que ses sœurs, Linda, Lorella et Roberta, ont fait souffler un vent de jeunesse sur la salle à manger ensoleillée de chez Umberto, mais on y respecte encore la tradition. Massimo me confie : «Plusieurs clients me remercient d'avoir remis au menu les pizzas frites, cela leur rappelle leur jeunesse. Ça me fait le même effet. C'est un plat que ma mère nous servait au retour de l'école. »

COMMENT ÉTIRER LA PÂTE

À l'autre bout de la ville, aux abords du Vieux-Naples, se trouve l'ancienne porte de San Gennaro reconstruite au milieu du 15e siècle après que les murs de la ville ont été déplacés. Quand on traverse cet endroit orné d'une fresque restaurée de Mattia Preti, qui date des années 1600, on pense tout de suite à l'histoire qui l'entoure. Sur le mur, on aperçoit une statue de la Vierge Marie, toute dorée, fleurie et protégée par du verre. À quelques pas de là, sur le vieux mur de pierre, on distingue une élégante plaque en marbre où il est simplement écrit : **Capasso**.

Gaetano Capasso et son oncle Vincenzo font partie du mobilier, au restaurant Capasso. Ce minuscule restaurant offre une gamme complète de hors-d'œuvre, d'entrées et de plats principaux composés de viandes et de poissons. Mais il n'y a aucun doute sur la spécialité de ce restaurant. Vincenzo règne tranquillement sur son four à pizza, qui se trouve au premier plan quand

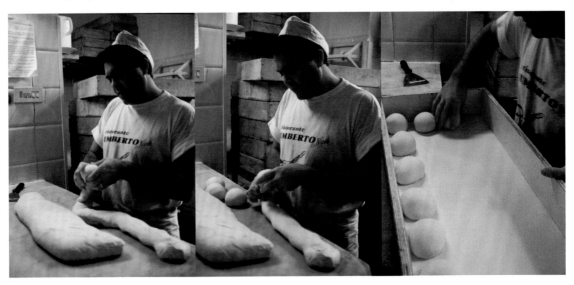

on entre, et la porte ouverte du four nous accueille chaudement.

C'est dans la *madia* que Vincenzo conserve précieusement la pâte qui gonfle jusqu'à ce qu'il soit prêt à faire une pizza. On ne touche jamais à la pâte avant qu'une pizza ait été commandée. À Naples, le *pizzaiolo* ne lance pas la pâte dans les airs. Peut-être parce que c'est une pâte tendre et malléable, on la pétrit plutôt sur un plan de travail légèrement enfariné. Selon les normes de la DOC, cette étape ne doit pas être faite à la machine, mais à la main. On pétrit la *pagnotta* avec le bout des doigts, du centre vers l'extérieur. On laisse le tour légèrement plus épais, cela formera le bord de la croûte qui gonflera. En tenant le bord de la pâte du bout des doigts des deux mains, on l'étire encore une fois et on laisse la pâte se balancer pendant que les mains travaillent tout autour. Le poids de la pâte fait en sorte qu'elle s'amincit au centre, mais le bord reste plus

épais. On l'étend ensuite sur le revers des deux mains fermées, puis on l'étire délicatement encore un peu. Quand elle a le bon format, on la dépose sur le plan de travail, elle est alors prête à être garnie.

COMMENT GARNIR LA PIZZA

Tout ce qui entoure le restaurant **Trianon da Ciro** semble imposant, et la stature de son propriétaire de la quatrième génération, Ciro Leone, l'est également. Du deuxième étage, le restaurant offre une vue sur les rues hyper achalandées de Naples et, à l'intérieur, on y voit du marbre. En outre, le restaurant peut accueillir plus de 400 personnes. Et même les pizzas sont grosses. Leur spécialité? La *ruota di carretto*, une immense pizza garnie d'ingrédients de saison au choix du client. La pizza DOC est au menu, mais ma préférée est garnie de saucisses et de *friarelli* sautés, une verdure que l'on trouve seulement en Campanie. Frais, les *friarelli* ressemblent à des rapinis, mais ils font partie de la famille des choux. Chaque bouchée contient beaucoup de minéraux et de vitamines. Cela me rappelle le chou noir de Toscane (*cavalo nero*). La saucisse locale est faite de porc, de veau, de peperoncini et d'ail, marinée dans le vin et fumée sur un feu de bois de peuplier vert. Ces saveurs prononcées se marient bien avec le côté grandiose du Trianon.

Le fonctionnement d'un restaurant de cette capacité est une leçon d'efficacité. L'un des trois fours à pizza, le four principal, accueille les clients à l'entrée de la pizzéria, au rez-de-chaussée. Dans la caisse en marbre dont le devant est en verre, la *pagnotta* attend le moment d'être étirée. Toutes les garnitures essentielles ont été préparées et sont disposées pour que le temps d'assemblage soit extrêmement court.

Les pizzas napolitaines sont peu garnies. Les ronds de pâte sont étirés sur un plan de travail en marbre enfariné situé tout près de l'endroit où sont les garnitures. Pour faire la Pizza Margherita, les tomates San Marzano fraîches, broyées,

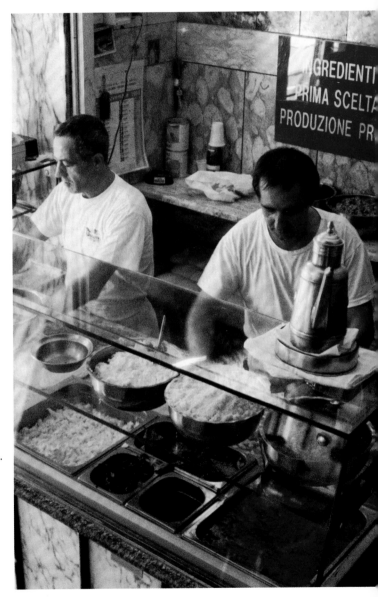

sont disposées en cercle à partir du centre, puis on y ajoute des tranches de mozzarella, quelques feuilles de basilic et une pincée de sel. Tous les ingrédients utilisés sont crus. La température du four est très élevée et le temps de cuisson est court.

En touche finale, on verse un filet d'huile de l'*agliara*, un contenant en cuivre que l'on trouve sur tous les comptoirs en marbre des pizzérias. Même si la véritable pizza napolitaine reçoit un filet d'huile d'olive avant d'être servie, dans la plupart des pizzérias, le contenant est rempli d'un autre type d'huile. Moins de 2 min plus tard, on sort la pizza du four, on la garnit de quelques feuilles de basilic fraîches et on l'apporte aussitôt à la table.

LES VARIATIONS D'INGRÉDIENTS PERMISES
Selon les normes de la DOC, il y a seulement deux véritables pizzas napolitaines. Toutefois, quelques variantes de la Pizza Margherita sont permises. Dans la première, appelée Margherita classica, on peut ajouter du fromage râpé, plus particulièrement du Parmigiano-Reggiano, du pecorino ou du grana padano. Dans la deuxième variante, la Margherita Extra, on peut ajouter des tranches de tomates fraîches. En plus des pizzas DOC, la plupart des pizzérias offrent une grande variété de garnitures, mais celles qui servent des pizzas DOC ne s'éloignent habituellement pas trop des recettes originales. Les pizzérias de Naples servent aussi plusieurs autres pizzas quasi traditionnelles. L'une d'entre elles se nomme pizza Quatre-Saisons (*Quattro Stagione*). La pâte est divisée en quatre sections et l'on garnit chacune d'entre elles d'un ingrédient différent.

L'une des spécialités du restaurant **Cantanapoli** est une interprétation de la

pizza Quatre-Saisons comportant 8 ou 16 garnitures. Le choix des ingrédients suit les saisons. On divise habituellement la pâte en sections au moyen de lisières de pâte. Ce restaurant nous fait vivre une expérience visuelle. Il y règne une atmosphère de fête sur un arrière-plan ayant un thème marin. Les garçons en knickers rouges ont un foulard noué autour de la tête et ils servent des pizzas recherchées à des tables de banquet où les familles aiment bien se réunir. Le propriétaire, Carmine de Pompei, se déplace sans arrêt. «Pavarotti a mangé ici», lance-t-il en allant s'asseoir à une table d'hommes d'affaires.

Le four à pizza au bois symbolise à la fois le feu du Vésuve – le seul volcan en activité du territoire continental européen – qui s'est éteint et l'extérieur froid du volcan. Les Napolitains savourent pleinement tous les moments de leur existence, car ils veulent profiter de la vie au maximum au cas où il y aurait une autre éruption volcanique.

LE FOUR

Par définition, la pizza napolitaine doit être cuite dans un four au bois. Quand j'évoque l'un de mes souvenirs les plus agréables de l'Italie, je me revois dans la cuisine chez des amis en train de regarder des pizzas gonfler et dorer dans le four au bois. Dans une pizzéria napolitaine, le feu ne s'éteint pratiquement jamais. Grâce aux tisons, le four reste chaud jusqu'à ce qu'on lui remette du petit bois d'allumage. Quelques fours, comme celui du restaurant **Lombardi a Santa Chiara**, ressemblent à une construction architecturale. Tout l'intérieur est en brique faite d'argile riche en alumine, une substance qui chauffe rapidement et uniformément. Une voûte en forme de dôme réduit la mauvaise répartition de la chaleur (endroits chauds et froids) et favorise aussi la rétention de la chaleur.

Depuis 1890, ce restaurant est une institution dans le domaine de la pizza, à

Spaccanapoli, le cœur de Naples. Au début, plusieurs bateaux qui étaient en route vers l'Amérique avaient l'habitude de s'arrêter à Naples. Le fondateur du restaurant, Enrico Lombardi, apportait un poêle portatif sur le quai pour faire des calzones frits et des pizzas aux voyageurs. Quand il n'y avait pas de bateaux dans le port, M. Lombardi se transformait en *pizzaiolo* ambulant, il se déplaçait dans les rues étroites de Naples. Plus tard, son fils Luigi installa un comptoir à pizzas. Il était situé près du clocher de l'église Santa Chiara, qui datait du 14e siècle. C'est ainsi qu'on appela le restaurant Lombardi a Santa Chiara. La pizzéria est aujourd'hui dans le même quartier, près de la Piazza Gesù Nuovo. Alfonso et Luigi, les petits-fils d'Enrico, perpétuent la tradition en servant d'excellentes pizzas ainsi que d'autres plats traditionnels.

Plusieurs heures avant le service, le *pizzaiolo* retire toutes les cendres qui restent dans le four, puis il allume un feu de bois dur au milieu du four. Les normes de la DOC mentionnent que le bois ne doit pas fumer ni dégager une odeur qui modifierait l'arôme de la pizza. Après quelques heures, quand les flammes ont fait place à de la braise et que la voûte a passé du noir au gris-blanc, on déplace le feu sur l'un des côtés du four. La température adéquate pour cuire la pizza est de 400 à 425 °C (750 à 800 °F).

Pour balayer la cendre, on utilise une brosse à l'épreuve du feu, la *spazzola*. On entretient le feu en périphérie pendant toute la nuit. Il est possible de rectifier la température en ajoutant du bois ou en ouvrant légèrement la porte du four. Les chefs d'expérience peuvent déterminer la température juste en regardant la couleur de l'intérieur du four et le rythme auquel les aliments cuisent.

Quand la pizza est garnie, on la place sur la palette à pizza et le *pizzaiolo* la dépose dans le four à l'endroit où il veut la cuire. En

faisant un petit mouvement du poignet vers l'avant, il la glisse dans le bas du four. Il tire rapidement la palette vers lui et la manœuvre est terminée. Un *pizzaiolo* expérimenté connaît les endroits chauds et froids de son four et il surveille attentivement sa pizza. Il la déplace et la tourne légèrement avec une palette à pizza à long manche (*palo di infornare*). Et, en moins de 2 min, la pizza est prête.

À QUEL MOMENT MANGE-T-ON DE LA PIZZA EN ITALIE ?

Quand vous demandez aux gens si on doit manger la pizza le midi ou le soir, vous obtenez différentes réponses. Dans plusieurs endroits de l'Italie, on mange de la pizza seulement le soir. Mais à Naples, on en sert toute la journée. Le restaurant **Da Michele**, connu aussi sous le nom de Pizzeria Condurro, ouvre ses portes à 8 h le matin et ferme passablement tard. Dans ce quartier animé près de la gare, la pizza est toujours le mets de choix des travailleurs. Depuis 1930, cette pizzéria n'a pas bougé et il n'y a pas grand-chose de son intérieur simple qui semble avoir changé. Le commerce a ouvert ses portes dans le même quartier en 1900, les propriétaires de l'époque étaient Michele et Anna Maria Gargivolo et il s'est passé de père en fils, selon la tradition, au propriétaire actuel Michele Condurro. Son fils Marco travaille maintenant avec lui.

Ce qui est remarquable, chez Da Michele, c'est que l'on y sert seulement de la Pizza Margherita et de la Pizza Marinara, et parfois une version de calzone. Selon Michele Condurro, 80 % des pizzas que l'on y sert sont des Margherita. On peut voir sur le mur des poèmes rappelant la simplicité des deux véritables pizzas napolitaines. Autrefois, on avait l'habitude de servir les pizzas directement sur les tables en marbre, mais maintenant on utilise des assiettes.

Et pour terminer en beauté notre voyage au pays des pizzas, nous traversons la ville. Le chauffeur de taxi n'a pas besoin d'adresse, le nom lui suffit, **Ciro a Santa Brigida**. Je ne peux résister. Et je lui demande, à lui aussi: «Quelle est votre pizza préférée?» Je lui ai posé la question comme nous descendions le boulevard Vittorio Emmanuele. Je croyais

connaître sa réponse, mais il me dit simplement: «Sans aucun doute, c'est la Marinara.» Ah, je savais bien que la Marinara récolterait au moins un vote!

On pourrait décrire le repas d'aujourd'hui comme le repas officiel de la pizza traditionnelle. Nous sommes reçus par Antonio Pace, propriétaire du restaurant Ciro a Santa Brigida et président de l'Associazione Vera Pizza Napoletana. Et les professeurs Carlo Mangoni et Luciano d'Ambrosio de la Second University de Naples se joignent à nous.

Ciro a Santa Brigida est situé dans cet élégant quartier depuis 1932. Ce restaurant a été ouvert par le grand-père d'Antonio, Don Carmine Pace, qui avait déménagé le restaurant de son grand-père de la Via Foria. Le restaurant est vite devenu le rendez-vous de l'élite qui fréquentait l'opéra et les commerces haut de gamme des environs.

À l'âge de 88 ans, Vincenzo Pace, le père d'Antonio, est le plus vieux *pizzaiolo* qui est toujours vivant. Avant la Première Guerre mondiale, il a travaillé dans la pizzéria de son grand-père, au cœur de Naples. C'est lui qui a créé la pizza Quatre-Saisons en séparant les diverses sections par des lisières de pâte. Antonio Pace explique ce qui fait que la pizza napolitaine est unique : «La chose la plus importante dans la pizza, c'est la pâte, elle doit être bonne. La pizza, c'est d'abord la pâte. Quand on y ajoute les autres ingrédients, la Pizza Margherita devient la mère et le père, c'est la Pizza Marinara.»

La pizza DOC est qualifiée d'*oro*, ce qui signifie or. Comme dans toutes les autres pizzérias, les prix sont plus élevés pour les pizzas DOC. Quand un client commande une pizza Margherita, il ne demande pas au garçon si la mozzarella est faite avec du lait de bufflonne d'Asie ou de vache. Le professeur d'Ambrosio nous rappelle une de ses maximes préférées : «Quand on parle de mozzarella, on pense à *bufala* (mozzarella de bufflonne) et quand on dit pizza, on pense tout de suite à Naples.»

Nous sommes aussi invités à goûter les meilleurs vins locaux pour accompagner la pizza. Le professeur Mangoni préfère le vin blanc Asprinio avec la Marinara et le vin rouge pétillant Gragnano avec la Margherita. Je demande au professeur Mangoni pourquoi il porte un tel intérêt à la pizza. «Tout ce qui est napolitain m'intéresse, répond-il. Ma famille vit ici depuis 900 ans. Ce n'est pas que je désapprouve l'utilisation de garnitures inhabituelles ou les variantes dans la croûte, je pense seulement que l'on ne doit pas qualifier ces pizzas de napolitaines.»

Nous terminons notre dégustation de pizzas par l'une des premières pizzas napolitaines, la *cecinielli*, qui est garnie de poissons blancs à l'état larvaire. Au moment du départ, Pasquale Parziale, le maître *pizzaiolo*, me donne sa carte d'affaires. Il porte un veston blanc et une cravate et surveille le travail d'un apprenti. Je jette un coup d'œil sur son adresse, il habite la Via Regina Margherita. Ma foi, c'est tout à fait de circonstances!

LA PIZZA À LA MAISON, COMMENT LA CUIRE DANS UN FOUR AU BOIS

Jusqu'aux dix dernières années, quand on voulait manger une pizza cuite dans un four au bois, il fallait aller au restaurant. Mais il y a maintenant quelques entreprises qui importent ou produisent des fours conçus pour la maison. Le four idéal est en argile poreux réfractaire qui contient beaucoup d'alumine, une substance qui chauffe rapidement et uniformément. Méfiez-vous des fours en béton ou faits d'un mélange d'argile et de béton, car ils ont tendance à se fendiller sous l'effet de températures élevées.

Avant de décider que l'achat d'un four au bois est une extravagance, souvenez-vous que vous pouvez y cuire autre chose que des pizzas. Le four au bois chauffe à des températures très élevées et très sèches, il est donc aussi efficace pour rôtir. En fait, le four refroidit après la cuisson de la pizza, et quand la température descend, c'est parfait pour les viandes et les légumes, qui peuvent alors être cuits rapidement en conservant leur jus et leur saveur naturelle. Et quand on ferme le conduit, on obtient une chaleur douce, parfaite pour cuire le pain.

Utilisez du bois dur comme le chêne, l'érable ou le prosopis. Pour ajouter de la saveur à la viande, au poisson et à la volaille, vous pouvez ajouter du bois fruitier ou des copeaux de bois provenant de pommier, d'amandier, de cerisier, de chèvrefeuille et de pêcher. N'utilisez pas de bois provenant de conifères comme le pin ou l'épinette. Ils ne brûlent pas à une température assez élevée et ils laissent des résidus dans le bas du four.

LA CUISSON DANS UN FOUR CONVENTIONNEL

Toutes les recettes de cet ouvrage ont été testées dans ma cuisinière au gaz O'Kieffe and Merritt qui date des années 40, avec une pierre à pizza à l'intérieur. La plupart des magasins où l'on vend des batteries de cuisine offrent un choix de pierres à pizza. Mesurez la plaque de votre four et procurez-vous une pierre aussi grande que possible, mais laissez 2,5 cm (1 po) libre tout autour de la pierre pour que l'air puisse y circuler. Les pierres rondes sont inefficaces, car vous pouvez y cuire seulement une pizza à la fois. Assurez-vous que le matériau dans lequel la pierre est faite est poreux. Il absorbera l'humidité et donnera à la

croûte une texture croustillante. Les carreaux non vernissés en argile rouge font du très bon travail. Les carreaux vernissés ou étanches ne font pas un aussi bon travail, car ils ne sont pas poreux. La pierre à pizza doit avoir au moins 1,2 cm (½ po) d'épaisseur. Elle doit être assez épaisse et ne pas être trop fragile. Elle doit aussi avoir une taille qui se manœuvre bien et qui ne prendra pas trop de temps à chauffer. Pour obtenir plus de chaleur rayonnante, déposez la pierre dans le bas du four ou sur la plaque du bas.

Il faut appliquer un apprêt sur la pierre à pizza pour éviter qu'elle se fendille à de hautes températures. À ce chapitre, suivez les instructions du manufacturier.

Quand vous voulez faire de la pizza, vous devez préchauffer le four à 260 °C (500 °F) de 30 min à 1 h après y avoir déposé la pierre à pizza. Pour mesurer la température, utilisez un thermomètre de four que vous placerez dans la région où vous cuirez la pizza.

QUELQUES MOTS AU SUJET DES RECETTES

J'utilise de la levure fraîche pressée du commerce ou de la levure vivante que j'achète à la boulangerie. Si vous utilisez de la levure sèche en granules qui est vendue en sachets, utilisez seulement la moitié des quantités que l'on dit d'employer pour faire ces recettes. Si vous voulez vous assurer que la levure est vivante, mettez-la dans la quantité requise d'eau tiède à une température de 25 à 30 °C (80 à 90 °F) pour la levure fraîche et de 40 à 45 °C (105 à 115 °F) pour la levure sèche avec une pincée de sucre. Attendez 5 min ou jusqu'à ce que le dessus soit mousseux, puis continuez. Si aucune mousse n'apparaît, la levure n'est pas vivante.

Je laisse gonfler la pâte dans un bol en acier inoxydable couvert de pellicule plastique que je place dans mon four conventionnel où seule la lampe témoin est allumée. C'est suffisant pour réchauffer la pâte. Il est important de se souvenir que la pâte doit être dans un endroit chaud, à l'abri des courants d'air.

J'aime bien garnir ma pizza sur la palette à pizza, car ainsi, je ne crains pas de déplacer les ingrédients en manipulant la pizza. Une petite pincée de semoule grossièrement moulue, de farine ou de farine de maïs aide la pâte à ne pas coller à la palette. Les granules agissent comme un roulement à billes, ce qui permet à la pâte de glisser sur la pierre à pizza.

LES PIZZAS NAPOLITAINES TRADITIONNELLES

Le Progetto di Norma, le projet pour établir des normes afin que la DOC soit conforme à l'authentique pizza napolitaine (*verace pizza napoletana*) est plutôt technique. Il avait pour objectif de définir les deux types de pizzas napolitaines authentiques, la Marinara et la Margherita, de préciser les ingrédients crus qui entraient dans leur composition et de décrire la méthode pour les fabriquer. Les pizzérias qui offrent ces pizzas à leur menu doivent respecter les normes établies. Et ils doivent afficher le logo certifiant qu'ils respectent les normes. Dans les pages qui suivent, vous trouverez un résumé des points principaux.

LA DESCRIPTION DES PIZZAS TRADITIONNELLES DOC

L'authentique pizza napolitaine

C'est un produit alimentaire préparé avec les ingrédients crus énumérés plus bas en suivant la méthode de fabrication définie dans les normes. De plus, les deux types, la Marinara et la Margherita, ainsi que les deux variantes doivent avoir une pâte bien gonflée garnie de tomates et d'huile.

L'authentique Pizza Marinara napolitaine

C'est une pizza qui est garnie de tomates, d'huile, d'origan et d'ail.

L'authentique Pizza Margherita napolitaine

C'est une pizza qui est garnie de tomates, d'huile, de mozzarella et de basilic.

L'authentique Pizza Margherita napolitaine traditionnelle

C'est une pizza qui est garnie de tomates, d'huile, de mozzarella, de basilic et de Parmigiano-Reggiano ou de pecorino ou de grana padano, râpé.

L'authentique Pizza Margherita napolitaine Extra

C'est une pizza qui est garnie de tomates, de tomates cerises fraîches, de mozzarella, d'huile et de basilic.

LES INGRÉDIENTS APPROUVÉS SELON LES DOCUMENTS CONCERNANT LA DOC

La farine

Les documents concernant la DOC de la pizza napolitaine donnent une description détaillée de la farine qui doit être utilisée, la *farina di grano tenero tipo 00*. Si on traduit l'expression mot à mot, on obtient quelque chose qui ressemble à : farine de blé tendre de type 00. Le *grano tenero* est utilisé pour le pain et les pâtisseries, tandis que le blé de force à haute teneur en protéines, le *grano duro,* est utilisé pour faire de la semoule ou des pâtes sèches. En Italie, les types de farine sont classés selon leur procédé d'affinage, tandis qu'en Amérique, on les classe selon leur teneur en protéines. Le type 00 est le plus affiné et celui qui contient le moins de fibres. Il contient de 11 à 12,5 % de protéines. Dans le type 0, on a retiré 70 % des fibres, et les types 1 et 2 contiennent beaucoup de graines non décortiquées. Le type que l'on qualifie d'intégral utilise des grains de blé entier et seule la consistance de sa mouture, plus ou moins grossière, varie.

La farine de type 00 est une farine blanche presque satinée qui contient moins de protéines que la farine tout usage américaine. C'est pourquoi la pâte à pizza est si douce et si tendre. En fait, j'ai vu des sacs de farine qui provenaient du Manitoba, au Canada, dans les cuisines de plusieurs pizzérias, ce qui indique qu'on utilise au moins une portion de farine à haute teneur en fibres. L'avantage de ce type de farine est que le gluten réagit davantage. La réaction entre la gluténine et la gliadine se produit quand on ajoute une substance humide et qu'on pétrit la pâte. Le gluten donne de l'élasticité à la pâte, chose essentielle pour que la pâte se tienne lorsqu'elle gonfle. Quand on utilise de la farine à basse teneur en protéines, il faut pétrir la pâte plus longtemps, c'est pourquoi les normes de la DOC mentionnent qu'il faut

malaxer et pétrir la pâte au moins pendant 30 min.

Dans *The Italian Baker*, Carol Field recommande d'utiliser une part de farine à pâtisserie pour trois parts de farine tout usage si l'on veut se rapprocher de la farine de type 00. J'ai utilisé moins de farine à pâtisserie dans les recettes qui suivent, mais vous pouvez faire diverses expériences pour atteindre la qualité de pâte qui vous convient.

Le sel

Toutes les régions d'Italie touchent la mer, sauf une, mais le sel a toujours été un produit de base de grande valeur. C'est le gouvernement qui avait le monopole du sel, qui se vendait cher. C'était un produit contrôlé assujetti aux taxes et vendu seulement dans les tabagies. Dans les temps pauvres, les cuisiniers avaient souvent recours à l'eau de mer pour cuisiner ou bien ils utilisaient des anchois ou des câpres conservés dans le sel, ou encore du prosciutto pour remplacer le sel dans leurs recettes.

Les normes de la DOC recommandent l'utilisation du sel de mer pour faire la pizza napolitaine, mais on peut le remplacer par du sel de table. On utilise le sel en grande quantité pour accroître l'élasticité du gluten et pour ralentir l'action de la levure.

La levure

La levure est une entité vivante. À Naples, le *pizzaiolo* utilise de la levure de bière fraîche (*lievito di birra fresco*). La levure de bière que l'on trouve ici est différente. Le produit qui se rapproche le plus de ce type de levure, c'est la levure fraîche pressée qui se vend habituellement en cubes de 15 g (½ oz) emballés dans du papier d'aluminium. La levure vendue en bloc n'a pas une très longue durée de conservation, il faut donc vérifier la date de péremption au moment de l'achat. Mais vous pouvez sans doute vous procurer des blocs de levure fraîche à la boulangerie de votre quartier.

L'eau

À Naples, l'utilisation de l'eau en cuisine est controversée. Faire les pizzas avec de l'eau embouteillée importée serait sûrement impossible, mais les puristes considèrent cette avenue. L'eau est dure, pleine de minéraux, mais on en fait les meilleurs espressos que je connaisse. Selon les documents de la DOC, le pH de l'eau à Naples est de 6,7. À la maison, j'utilise de l'eau filtrée pour boire et pour cuisiner, pour éviter le chlore et les impuretés de l'eau du robinet.

Les tomates

La première description des tomates en Italie a été faite par Pietro Andrea Mattioli en 1544. Il les appelait *pomi d'oro* ou pommes d'or. À cette époque, on les utilisait seulement comme plantes ornementales, et la plupart des gens croyaient qu'elles étaient toxiques ou, mieux, aphrodisiaques. Ce n'est peut-être pas avant le 18e siècle que les tomates sont entrées dans la cuisine. Le professeur Carlo Mangoni émet l'hypothèse que la tomate serait arrivée avec le pain autour des années 1760. En 1778, Vincenzo Corrado a publié *Il Cuoco Galante* (*Le cuisinier galant*), livre dans lequel on trouvait plusieurs recettes contenant des tomates. À Naples, la première recette de sauce tomate pour les pâtes (*vermicelli con le pomodoro*), date de 1839.

En 1875, Francesco Cirio ouvrit l'entreprise de production de tomates en conserve Salsa Cirio, l'une des premières entreprises de ce genre.

Dans la région de la Campanie appelée Sarnese Nocerino, où les provinces de Naples, de Salerne et d'Avellino se rencontrent, s'étend le champ de San Marzano. Grâce au sol volcanique, riche en minéraux, et au climat ensoleillé du Sud, on obtient quatre rotations des cultures par année. La variété San Marzano (*Lycopersicon esculentum*) donne un fruit cylindrique à deux lobes. C'est sans doute un hybride provenant du croisement de deux variétés précédentes, (la *fiaschella* et la *fiascone),* qui a fait son apparition au début du 19e siècle. Les plants sont grands et produisent beaucoup, ils peuvent donner jusqu'à une douzaine de grappes de 5 à 6 tomates dans un cycle de croissance de 60 jours. C'est la meilleure tomate pour faire la pizza napolitaine, car elle est peu acide et possède un goût de véritable tomate. La San Marzano ressemble à ce que l'on appelle tout simplement tomate italienne, mais elle est plus charnue et plus sèche, elle a peu de graines et une peau rouge brillante. Elle est aussi facile à peler.

Pour faire la pizza napolitaine, les normes de la DOC donnent plusieurs directives concernant les tomates. La première, c'est que les tomates peuvent être utilisées fraîches ou en conserve. Quand les tomates ne sont pas en saison, les tomates en conserve pelées sont un très bon substitut.

Les tomates fraîches utilisées doivent faire partie de l'une de ces trois variétés : les San Marzano ou un type allongé semblable provenant de la même région, ou les Corbara ou les Carbarini, deux petites tomates d'environ 2,5 cm (1 po) de diamètre, des tomates rondes rouge vif dont le sommet se termine en fine pointe. On les voit souvent pendre en grappes dans les pizzérias.

Les tomates en conserve doivent être de très grande qualité, on utilisera les San Marzano, de préférence. Les tomates égouttées doivent avoir un poids au moins égal à 70 % de leur poids net total. Il est possible d'utiliser un produit contenant une proportion de jus de tomate concentré à condition qu'il ne dépasse pas la quantité de tomates égouttées.

L'huile

Selon le professeur Mangoni, on utilisait jadis de l'huile d'olive ou de la graisse de porc fondue. De nos jours, les normes de la DOC précisent qu'il faut utiliser de l'huile d'olive extra-vierge provenant du Sud de l'Italie. Cette huile d'olive locale a du corps, est riche, a un goût un peu sucré et n'est jamais amère.

Les tomates idéales pour faire la pizza napolitaine sont les San Marzano. Cette variété, qui pousse en sol volcanique, est un hybride qui a fait son apparition au début du 19e siècle. En saison, les pizzérias utilisent des tomates fraîches, mais en hiver, on les remplace par des tomates en conserve.

L'ail et les fines herbes

Les deux seules fines herbes qui entrent dans la composition de la pizza napolitaine sont le basilic frais et l'origan séché. On utilise de l'ail frais seulement pour la Pizza Marinara.

Le fromage

La mozzarella fait partie des fromages à pâte filée (*pasta filata*). Pour fabriquer ce type de fromage, on cuit du lait caillé dans l'eau bouillante, on sépare la masse en bandelettes, puis on reforme le fromage en l'étirant et en le pétrissant. C'est un fromage frais tout à fait magnifique, mais il se conserve très peu longtemps. Il est à son meilleur quand on le consomme dans les 48 h.

À Naples, quand on dit mozzarella, on parle seulement du fromage fait avec du lait de bufflonne d'Asie. La mozzarella au lait de vache est appelée Fior di latte. La mozzarella de bufflonne est plus grasse et contient plus de protéines et de liquide. Le professeur Mangoni fait la recommandation suivante : «Si vous utilisez de la mozzarella de bufflonne sur la pizza, il est préférable d'utiliser un fromage vieux d'un jour qui a perdu une partie de son humidité et assurez-vous d'éviter d'employer la mozzarella faite à la machine.»

Les normes concernant la Pizza Margherita traditionnelle DOC permettent l'utilisation du Parmigiano-Reggiano, du grana padano ou du pecorino, râpé. Le Parmigiano-Reggiano est un fromage de lait de vache qui vieillit pendant au moins 18 mois. Le grana padano est aussi fait avec du lait de vache, mais il vieillit pendant au moins 12 mois. Le pecorino, qui est fabriqué avec du lait de brebis, vieillit pendant 12 mois.

LA PRODUCTION

La pâte ne doit contenir que de la farine, de l'eau, du sel et de la levure naturelle (pas d'huile ni de matières grasses). Elle

 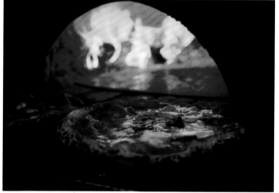

doit être malaxée et pétrie à la main ou avec un batteur électrique approuvé (qui ne réchauffera pas la pâte) pendant au moins 30 min. On laisse d'abord gonfler la pâte sans la séparer pendant au moins 4 h. Puis on fait des boules de 180 g (6 oz) et on les laisse gonfler de 2 à 4 h à une température d'environ 25 °C (75 °F). La pâte est alors bien gonflée et lisse. On étire ensuite chaque boule jusqu'à ce que le centre ait environ 0,5 cm (¼ po) d'épaisseur. Le bord doit être légèrement plus épais pour que les ingrédients restent à l'intérieur.

Le diamètre de la pizza ne doit pas être supérieur à 30 cm (12 po). Elle doit être cuite dans le bas d'un four de brique réfractaire ou de pierre et alimenté par du bois dur non aromatique à une température de 400 à 425 °C (750 à 800 °F). La pizza doit être bien cuite et avoir un bord tendre et surélevé.

Dans les pages qui suivent, vous trouverez les recettes pour préparer les pizzas napolitaines traditionnelles DOC.

NOTE : Si vous utilisez de la levure sèche en granules, qui est vendue en sachets, utilisez seulement la moitié des quantités que l'on dit d'employer pour faire ces recettes.

Pâte à pizza traditionnelle DOC

Donne suffisamment de pâte pour faire 6 pizzas de 25 cm (10 po)

INGRÉDIENTS

PRÉPARATION

- ½ bloc de levure fraîche pressée
- 500 ml (2 tasses) d'eau tiède à une température de 25 à 30 °C (80 à 90 °F)
- 120 g (1 tasse) de farine à pâtisserie
- 1 ½ c. à soupe de sel de mer
- 715 à 780 g (5 ½ à 6 tasses) de farine tout usage, non blanchie

Voici la pâte traditionnelle pour faire une pizza napolitaine. Si vous manquez de temps, faites plutôt la Pâte à pizza qui gonfle rapidement (voir p. 50). Elle requiert plus de levure, mais elle gonfle vraiment plus vite.

- Dans le bol d'un batteur électrique résistant muni d'un crochet pétrisseur, mélanger la levure dans l'eau tiède jusqu'à ce qu'elle soit dissoute. Ajouter la farine à pâtisserie et le sel. Bien mélanger. Ajouter la farine tout usage, 130 g (1 tasse) à la fois, en malaxant pendant environ 10 min jusqu'à ce que la pâte ne colle plus. Continuer de malaxer pendant environ 20 min de plus ou jusqu'à ce que la pâte soit homogène et élastique.

- Pour faire gonfler la pâte pour la première fois, façonner la pâte en boule et la laisser dans le bol du batteur électrique ou la déposer sur un plan de travail légèrement enfariné. Couvrir d'un linge à vaisselle et laisser gonfler la pâte pendant 4 h dans un endroit chaud à une température d'environ 25 °C (75 °F), à l'abri des courants d'air.

- Donner des coups sur la pâte pour expulser le gaz carbonique. La diviser en 6 morceaux. Former une boule avec chacun des morceaux. Les couvrir d'un linge à vaisselle et les laisser gonfler de 2 à 4 h dans un endroit chaud à une température d'environ 25 °C (75 °F), à l'abri des courants d'air, jusqu'à ce que la pâte ait doublé de volume.

Pizza Marinara DOC

Donne 6 pizzas de 25 cm (10 po) ou 6 portions

- Pâte à pizza traditionnelle DOC (voir p. 41)
- 225 g (8 oz) de tomates fraîches grossièrement hachées ou 225 g (8 oz) de tomates en conserve égouttées et hachées
- 6 gousses d'ail, en tranches fines
- ¾ c. à café (¾ c. à thé) d'origan séché
- Sel de mer, au goût
- 3 c. à soupe d'huile d'olive extra-vierge

Les tomates San Marzano sont les meilleures tomates pour faire des pizzas DOC. Vous pouvez aussi utiliser des tomates italiennes, comme les Roma, ou un autre type de tomate allongée provenant de la Campanie. Hors saison, utilisez des tomates en conserve de qualité supérieure, des San Marzano, de préférence.

- Préchauffer un four à pizza au bois à 400 °C (750 °F).

- Pétrir chaque boule de pâte, puis l'étirer à une épaisseur de 0,5 cm (¼ po) en laissant le bord extérieur légèrement plus épais. Chaque cercle doit avoir environ 25 cm (10 po) de diamètre. Déposer chaque cercle sur une palette à pizza enfarinée. Mettre une partie des tomates au milieu de chaque cercle et, dans un mouvement circulaire, les disposer uniformément sur chaque cercle, mais laisser 1,2 cm (½ po) libre tout autour. Parsemer les tomates d'ail. Répartir l'origan et le sel de mer uniformément sur les pizzas. Dans un mouvement circulaire, verser l'huile d'olive en filet en partant du centre et en allant vers l'extérieur.

- Glisser les pizzas dans le bas du four et cuire de 1 à 1 ½ min ou jusqu'à ce que les bords soient dorés. Retirer du four et servir immédiatement.

*La première Pizza Margherita traditionnelle a été faite, ou à tout le moins nommée, par Raffaele Esposito de la Pizzeria Pietro il Pizzaiolo qui porte maintenant le nom de **Pizzeria Brandi**. En 1889, Raffaele Esposito fut invité au palais pour la visite du roi Umberto 1er et de la reine Marguerite de Savoie. Il devait alors créer trois pizzas... La reine déclara que sa pizza préférée était celle qui avait les couleurs du drapeau italien (le rouge des tomates, le blanc de la mozzarella et le vert du basilic).*

Pizza Margherita DOC

Donne 6 pizzas de 25 cm (10 po) ou 6 portions

- Pâte à pizza traditionnelle (voir p. 41)
- 200 g (7 oz) de tomates fraîches grossièrement hachées ou 200 g (7 oz) de tomates en conserve égouttées et hachées
- 340 g (12 oz) de mozzarella de bufflonne, coupée en tranches de 0,5 cm (¼ po) d'épaisseur
- Sel de mer, au goût
- 25 à 30 feuilles de basilic frais
- 2 c. à soupe d'huile d'olive extra-vierge

Selon les normes de la DOC, il est permis de faire seulement deux variantes de la traditionnelle Pizza Margherita. L'une d'entre elles, appelée Pizza Margherita traditionnelle DOC permet l'usage facultatif de 30 g (¼ tasse) de Parmigiano-Reggiano, de pecorino romano ou de grana padano. Saupoudrez-en les tomates et la mozzarella avant la cuisson.

- Préchauffer un four à pizza au bois à 400 °C (750 °F).

- Pétrir chaque boule de pâte, puis l'étirer à une épaisseur de 0,5 cm (¼ po) en laissant le bord extérieur légèrement plus épais. Chaque cercle doit avoir environ 25 cm (10 po) de diamètre. Déposer chaque cercle sur une palette à pizza enfarinée. Mettre une partie des tomates au milieu de chaque cercle et, dans un mouvement circulaire, les disposer uniformément sur chaque cercle, mais laisser 1,2 cm (½ po) libre tout autour. Parsemer uniformément les tomates de mozzarella. Parsemer chacune des pizzas uniformément de sel de mer et garnir de 2 ou 3 feuilles de basilic. Dans un mouvement circulaire, verser l'huile d'olive en filet en partant du centre et en allant vers l'extérieur.

- Glisser les pizzas sur la pierre à pizza et cuire de 1 à 1 ½ min ou jusqu'à ce que les bords soient dorés. Retirer du four, garnir chaque pizza du reste des feuilles de basilic et servir immédiatement.

Pizza Margherita Extra DOC

La Pizza Margherita Extra est l'une des variantes de la Pizza Margherita qu'il est permis de faire. On y met moins de sauce tomate et on y ajoute des tranches de tomates fraîches. En Italie, on utilise habituellement les tomates Corbara ou Carbarini, deux types de petites tomates cerises rouges d'environ 2,5 cm (1 po) de diamètre.

• Préchauffer un four à pizza au bois à 400 °C (750 °F).

• Pétrir chaque boule de pâte, puis l'étirer à une épaisseur de 0,5 cm (¼ po) en laissant le bord extérieur légèrement plus épais. Chaque cercle doit avoir environ 25 cm (10 po) de diamètre. Déposer chaque cercle sur une palette à pizza enfarinée. Répartir les tomates hachées au milieu de chaque cercle et, dans un mouvement circulaire, les disposer uniformément sur chaque cercle, mais laisser 1,2 cm (½ po) libre tout autour.

• Parsemer uniformément les tomates de mozzarella. Déposer une rangée de tomates cerises sur le fromage. Parsemer chacune des pizzas uniformément de sel de mer et garnir de 2 ou 3 feuilles de basilic. Dans un mouvement circulaire, verser l'huile d'olive en filet en partant du centre et en allant vers l'extérieur.

• Glisser les pizzas sur la pierre à pizza et cuire de 1 à 1 ½ min ou jusqu'à ce que les bords soient dorés. Retirer du four, garnir chaque pizza du reste des feuilles de basilic et servir immédiatement.

INGRÉDIENTS

• Pâte à pizza traditionnelle (voir p. 41)
• 115 g (4 oz) de tomates fraîches grossièrement hachées ou 115 g (4 oz) de tomates en conserve égouttées et hachées
• 450 g (16 oz) de mozzarella de bufflonne, coupée en tranches de 0,5 cm (¼ po) d'épaisseur
• 340 g (12 oz) de tomates cerises fraîches, coupées en tranches de 0,5 cm (¼ po) d'épaisseur
• Sel de mer, au goût
• 30 feuilles de basilic frais
• 2 c. à soupe d'huile d'olive extra-vierge

Rien dans les normes de la DOC ne spécifie que la pizza doit être faite à Naples, pas plus qu'en Italie. N'importe quel restaurant du monde peut certifier que les deux types de pizza respectent les normes de la DOC. Aux États-Unis, il n'y a qu'un seul restaurant qui est membre de l'Assoziazione Vera Pizza Napoletana et c'est Peppe Miele's Antica Pizzeria. Cette pizzéria de Los Angeles fait de la pizza napolitaine dans un four au bois depuis 1992.

LES SPÉCIALITÉS DES PIZZÉRIAS NAPOLITAINES

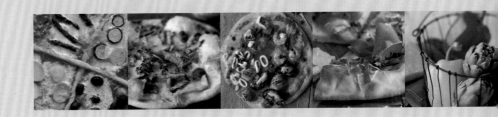

Pâte à pizza qui gonfle rapidement

Donne suffisamment de pâte pour faire 6 pizzas de 25 cm (10 po)

- 1 bloc de levure fraîche pressée ou 1 sachet de levure sèche active
- 500 ml (2 tasses) d'eau tiède à une température de 25 à 30 °C (80 à 90 °F) pour la levure fraîche et à une température de 40 à 45 °C (105 à 115 °F) pour la levure sèche
- 120 g (1 tasse) de farine à pâtisserie
- 4 c. à café (4 c. à thé) de sel de mer
- 715 à 780 g (5 ¹/₂ à 6 tasses) de farine tout usage, non blanchie

Cette pâte prend seulement 2 h à faire et rappelle la pâte de la DOC. Pour obtenir une pâte plus tendre, qui ressemble davantage à la pâte napolitaine, remplacez 130 g (1 tasse) de farine tout usage par la même quantité de farine à pâtisserie.

• Dans le bol d'un batteur électrique résistant muni d'un crochet pétrisseur, mélanger la levure dans l'eau tiède jusqu'à ce qu'elle soit dissoute. Ajouter la farine à pâtisserie et le sel de mer. Bien mélanger. Ajouter la farine tout usage, 130 g (1 tasse) à la fois, en malaxant pendant environ 10 min jusqu'à ce que la pâte ne colle plus et soit homogène.

• Façonner la pâte en forme de boule et la déposer dans un bol légèrement huilé. Tourner la pâte dans le bol pour l'enduire d'huile. Couvrir de pellicule plastique et laisser gonfler pendant 1 h dans un endroit chaud à une température d'environ 25 °C (75 °F), à l'abri des courants d'air, jusqu'à ce que la pâte ait doublé de volume.

• Donner des coups sur la pâte pour expulser le gaz carbonique. La diviser en 6 boules d'environ 180 g (6 oz) chacune. Déposer les boules sur du papier sulfurisé ou sur un plan de travail légèrement enfariné, couvrir d'un linge à vaisselle et les laisser gonfler pendant 45 min ou jusqu'à ce que la pâte ait doublé de volume.

NOTE : PÂTE À PIZZA ASSAISONNÉE

Vous pouvez ajouter un ou plusieurs des assaisonnements suivants à la pâte à pizza avant de la faire gonfler pour la deuxième fois : 1 c. à soupe de fines herbes fraîches hachées, comme le romarin, l'aneth ou le thym ; 2 tomates séchées dans l'huile, égouttées et hachées ; 25 g (¼ tasse) d'oignons verts hachés ; 2 gousses d'ail hachées ; 30 g (1 oz) de prosciutto di Parma haché ; 2 c. à café (2 c. à thé) de zeste de citron râpé.

Sauce pour l'amateur de pizza

- 3 c. à soupe d'huile d'olive extra-vierge
- 80 g (½ tasse) d'oignon coupé en dés
- 1 carotte pelée et coupée en dés
- 1 branche de céleri coupée en dés
- 2 gousses d'ail émincées
- 795 g (28 oz) de tomates italiennes en conserve grossièrement hachées, avec leur jus
- 4 feuilles de basilic frais, émincées
- 1 c. à soupe de persil italien frais, émincé
- Sel de mer et poivre noir fraîchement moulu, au goût

La sauce à pizza napolitaine la plus répandue est un simple coulis de tomate, mais plusieurs pizzérias napolitaines utilisent aussi des sauces aromatisées comme celle-ci. Cette merveilleuse sauce aux fines herbes et aux légumes est particulièrement savoureuse avec les pizzas cuites dans un four conventionnel.

- Dans un poêlon, à feu moyen-élevé, chauffer l'huile d'olive. Y faire sauter l'oignon, la carotte et le céleri de 4 à 5 min jusqu'à ce qu'ils soient dorés. Ajouter l'ail et cuire pendant environ 2 min jusqu'à ce qu'il soit tendre. Incorporer les tomates et leur jus, le basilic et le persil. Réduire à feu doux et cuire de 15 à 20 min jusqu'à ce que la sauce ait épaissi. Verser la sauce dans un mélangeur ou un robot culinaire et mélanger jusqu'à consistance homogène. Saler et poivrer, puis laisser refroidir jusqu'au moment de servir.

NOTE : S'il vous reste de la sauce, congelez-la, mangez-la avec des pâtes ou faites-en une trempette que vous utiliserez avec du pain grillé.

Pizza aux artichauts et aux poivrons

Donne 6 pizzas de 25 cm (10 po) ou 6 portions

Ajoutez de la couleur à cette pizza estivale. Des poivrons rouges et verts seront du plus bel effet. Vous pouvez remplacer les artichauts frais par des cœurs d'artichaut marinés en conserve.

• Verser 5 cm (2 po) d'eau dans une grande casserole et porter à ébullition. Couper le tiers supérieur des feuilles d'artichaut. Retirer les feuilles extérieures dures et couper la tige. Frotter toutes les parties coupées de citron. Mettre les artichauts dans l'eau. Presser le demi-citron sur les artichauts et laisser tomber le citron dans l'eau. Réduire à feu doux, couvrir et cuire de 10 à 12 min ou jusqu'à ce que les artichauts soient tendres et qu'une feuille puisse facilement en être retirée. Égoutter et laisser refroidir. Retirer les feuilles extérieures et le foin. Couper les cœurs d'artichaut en quartiers et réserver.

• Préchauffer le four contenant une pierre à pizza à 260 °C (500 °F) pendant au moins 30 min.

• Pétrir puis étirer chacune des boules de pâte à une épaisseur de 0,5 cm (¼ po) en laissant le bord extérieur légèrement plus épais. Chaque cercle doit avoir environ 25 cm (10 po) de diamètre. Déposer chaque cercle sur une palette à pizza enfarinée. Badigeonner légèrement d'huile d'olive la surface de la pâte. Répartir la mozzarella uniformément pour couvrir les cercles de pâte, mais laisser 1,2 cm (½ po) libre tout autour. Répartir uniformément les cœurs d'artichaut et les poivrons grillés sur les pizzas. Parsemer uniformément les artichauts et les poivrons de Parmigiano-Reggiano.

• Glisser les pizzas sur la pierre à pizza et cuire de 4 à 5 min ou jusqu'à ce que les bords soient dorés. Retirer du four et servir immédiatement.

PRÉPARATION

INGRÉDIENTS

- 6 petits artichauts
- ½ citron
- Pâte à pizza traditionnelle (voir p. 41) ou Pâte à pizza qui gonfle rapidement (voir p. 50)
- Huile d'olive extra-vierge pour badigeonner
- 180 g (6 oz) de mozzarella de vache Fior di latte, de préférence, en tranches très fines, ou d'un autre type de mozzarella de vache
- 1 poivron rouge grillé, pelé et coupé en julienne
- 1 poivron jaune grillé, pelé et coupé en julienne
- 60 g (½ tasse) de fromage Parmigiano-Reggiano grossièrement râpé

Pizza Quatre-Saisons

Donne 6 pizzas de 25 cm (10 po) ou 6 portions

INGRÉDIENTS

- Pâte à pizza traditionnelle (voir p. 41) ou Pâte à pizza qui gonfle rapidement (voir p. 50)
- 250 ml (1 tasse) de Sauce pour l'amateur de pizza (voir p. 51)
- 180 g (6 oz) de mozzarella de vache Fior di latte, de préférence, en tranches très fines, ou d'un autre type de mozzarella de vache
- 60 g (½ tasse) de fromage Parmigiano-Reggiano râpé
- 225 g (8 oz) de pointes d'asperge blanchies
- 1 pomme de terre pelée, coupée en tranches de 0,5 cm (¼ po) d'épaisseur et blanchie
- 135 g (1 tasse) d'olives noires italiennes ou grecques
- 1 courgette coupée en tranches de 0,5 cm (¼ po) d'épaisseur et blanchie

Dans cette version de la traditionnelle Pizza Quatre-Saisons, le printemps est représenté par les asperges, l'été par la courgette, l'automne par les olives et l'hiver par la pomme de terre. Créez vos propres variantes en vous inspirant des saisons ou choisissez quatre garnitures différentes. Les sections peuvent être séparées par une lisière de pâte roulée en un mince cordon.

- Préchauffer le four contenant une pierre à pizza à 260 °C (500 °F) pendant au moins 30 min.

- Pétrir puis étirer chacune des boules de pâte à une épaisseur de 0,5 cm (¼ po) en laissant le bord extérieur légèrement plus épais. Chaque cercle doit avoir environ 25 cm (10 po) de diamètre. Déposer chaque cercle sur une palette à pizza enfarinée. Verser un peu de sauce au milieu de chaque pizza, puis l'étendre pour couvrir la surface, mais laisser 1,2 cm (½ po) libre tout autour de la pizza. Répartir uniformément la mozzarella sur les pizzas. Parsemer uniformément la mozzarella de Parmigiano-Reggiano. Déposer respectivement dans chaque section les asperges, les tranches de pomme de terre, les olives et les tranches de courgette sur le fromage.

- Glisser les pizzas sur la pierre à pizza et cuire de 4 à 5 min ou jusqu'à ce que les bords soient dorés. Retirer du four et servir immédiatement.

Pizza Huit-Saisons

Voici une variante de la Pizza Quatre-Saisons. Elle contient bien sûr deux fois plus d'ingrédients.

- Préchauffer le four contenant une pierre à pizza à 260 °C (500 °F) pendant au moins 30 min.

- Dans un bol, mélanger le porc, l'œuf, le persil, le pain, le sel et le poivre. Façonner le mélange en boulettes de 1,2 cm (½ po) et réserver.

- Couper l'aubergine en dés de 1,2 cm (½ po). Les saler généreusement des deux côtés, puis les laisser égoutter sur du papier essuie-tout pendant au moins 15 min. Les rincer, puis les tapoter pour les assécher. Dans un poêlon, à feu moyen-élevé, chauffer l'huile d'olive. Ajouter l'aubergine et la faire sauter de 3 à 4 min. Saler et poivrer au goût, puis réserver.

- Pétrir puis étirer 3 des boules de pâte en cercles de 38 cm (15 po) à une épaisseur de 0,5 cm (¼ po). Diviser l'autre boule en 12 morceaux et abaisser chaque morceau en une lisière de 38 cm (15 po) de longueur. Déposer chaque cercle sur une palette à pizza enfarinée. Verser un peu de sauce au milieu de chaque cercle, mais laisser 1,2 cm (½ po) libre tout autour. Former 8 sections en plaçant 4 lisières de pâte sur chaque pizza. Mettre un ingrédient différent sur chaque section, mais laisser une section vide pour y ajouter les œufs cuits dur avant de servir. Parsemer uniformément les pizzas de Parmigiano-Reggiano, puis y verser de l'huile d'olive en filet.

- Glisser les pizzas sur la pierre à pizza et cuire de 4 à 5 min. Retirer du four, ajouter les œufs cuits dur et servir immédiatement.

INGRÉDIENTS

- 225 g (8 oz) de porc haché
- 1 œuf
- 1 c. à soupe de persil italien frais, émincé
- 1 tranche de pain rassis, trempée dans 125 ml (½ tasse) de lait
- Sel et poivre noir fraîchement moulu, au goût
- 225 g (8 oz) d'aubergine
- 3 c. à soupe d'huile d'olive extra-vierge, plus une quantité supplémentaire pour verser en filet
- Pâte à pizza traditionnelle (voir p. 41) ou Pâte à pizza qui gonfle rapidement (voir p. 50), divisée en 4 boules avant que la pâte lève pour la deuxième fois
- 1 tasse de Sauce pour l'amateur de pizza (voir p. 51)
- 180 g (6 oz) de mozzarella de vache Fior di latte, de préférence, en tranches très fines, ou d'un autre type de mozzarella de vache
- 225 g (8 oz) de champignons dont on a retiré les pieds, en tranches fines
- 10 tomates cerises coupées en 2
- 200 g (1 ½ tasse) de bouquets de chou-fleur blanchis
- 225 g (8 oz) de crevettes moyennes, décortiquées et déveinées
- 60 g (½ tasse) de fromage Parmigiano-Reggiano grossièrement râpé
- 6 œufs cuits dur, écalés et coupés en 2 dans le sens de la longueur

Pizza aux tomates vertes et à la mozzarella

Donne 6 pizzas de 25 cm (10 po) ou 6 portions

- Pâte à pizza traditionnelle (voir p. 41) ou Pâte à pizza qui gonfle rapidement (voir p. 50)
- 2 c. à soupe d'huile d'olive extra-vierge pour badigeonner, plus une quantité supplémentaire pour verser en filet
- 285 g (10 oz) de mozzarella de bufflonne, en tranches de 0,5 cm (¼ po) d'épaisseur
- 5 tomates vertes, en tranches de 0,5 cm (¼ po) d'épaisseur
- 60 g (½ tasse) de fromage Parmigiano-Reggiano grossièrement râpé
- Sel de mer, au goût

Les Italiens aiment bien les tomates vertes dans les salades. Il n'est donc pas étonnant de les trouver aussi dans d'autres plats. L'acidité des tomates accentue la douceur de la mozzarella.

- Préchauffer le four contenant une pierre à pizza à 260 °C (500 °F) pendant au moins 30 min.

- Pétrir chaque boule de pâte, puis l'étirer à une épaisseur de 0,5 cm (¼ po) en laissant le bord extérieur légèrement plus épais. Chaque cercle doit avoir environ 25 cm (10 po) de diamètre. Déposer chaque cercle sur une palette à pizza enfarinée. Badigeonner légèrement d'huile chacune des pizzas. Répartir uniformément la mozzarella entre les cercles de pâte. Répartir uniformément les tranches de tomate sur la mozzarella et parsemer uniformément de Parmigiano-Reggiano. Saler et poivrer, puis verser de l'huile d'olive en filet.

- Glisser les pizzas sur la pierre à pizza et cuire de 4 à 5 min ou jusqu'à ce que les bords soient dorés. Retirer du four et servir immédiatement.

Pizza garnie d'un œuf

Donne 6 pizzas de 20 cm (8 po) ou 6 portions

- Pâte à pizza traditionnelle (voir p. 41) ou Pâte à pizza qui gonfle rapidement (voir p. 50)
- 3 c. à soupe d'huile d'olive extra-vierge, plus une quantité supplémentaire pour verser en filet
- 6 œufs
- Sel de mer et poivre noir fraîchement moulu, au goût
- 6 c. à soupe de fromage Parmigiano-Reggiano grossièrement râpé

À Naples, vous pouvez vous procurer de la pizza à n'importe quelle heure du jour et avec la garniture qui vous plaît. La pizza que je vous présente ici ressemble à un petit-déjeuner, mais elle pourrait aussi bien constituer un hors-d'œuvre substantiel.

- Préchauffer le four contenant une pierre à pizza à 260 °C (500 °F) pendant au moins 30 min.

- Pétrir chaque boule de pâte, puis l'étirer à une épaisseur de 0,5 cm (¼ po) en laissant le bord extérieur beaucoup plus épais. Chaque cercle doit avoir environ 20 cm (8 po) de diamètre. Déposer chaque cercle sur une palette à pizza enfarinée. Badigeonner d'huile d'olive le centre de chaque cercle de pâte. Casser un œuf au centre de chaque cercle, saler et poivrer, puis parsemer de Parmigiano-Reggiano. Verser un filet d'huile d'olive.

- Glisser délicatement les pizzas sur la pierre à pizza et cuire de 8 à 9 min ou jusqu'à ce que les œufs soient fermes et que les bords des pizzas soient dorés. Retirer du four et servir immédiatement.

L'immense pizza des réceptions

Donne 2 pizzas de 76 cm (30 po) ou 12 portions

Voici la pizza parfaite pour recevoir les amis. Si votre four n'est pas assez grand pour que vous y mettiez une pizza de 76 cm (30 po), faites 4 pizzas plus petites.

• Dans le bol d'un batteur électrique résistant muni d'un crochet pétrisseur, mélanger la levure dans l'eau tiède jusqu'à ce qu'elle soit dissoute. Ajouter 130 g (1 tasse) de farine et le sel. Bien mélanger. Ajouter le reste de la farine, 130 g (1 tasse) à la fois, en malaxant pendant environ 10 min jusqu'à ce que la pâte soit homogène et ne colle plus. Façonner la pâte en boule et la mettre dans un bol légèrement huilé. Tourner la pâte dans le bol pour l'enduire d'huile. La couvrir de pellicule plastique et la laisser gonfler pendant 1 h dans un endroit chaud à une température d'environ 25 °C (75 °F) ou jusqu'à ce que la pâte ait doublé de volume.

• Donner des coups sur la pâte pour expulser le gaz carbonique. La diviser en 2 boules. Placer les boules sur un plan de travail enfariné, les couvrir d'un linge à vaisselle et les laisser gonfler pendant 45 min ou jusqu'à ce que la pâte ait doublé de volume.

• Préchauffer le four contenant une pierre à pizza à 260 °C (500 °F) de 30 min à 1 h.

• Pétrir puis étirer chacune des boules de pâte à une épaisseur de 0,5 cm (¼ po) en laissant le bord extérieur légèrement plus épais. Chaque cercle doit avoir environ 76 cm (30 po) de diamètre. Déposer chacune des pizzas sur une palette à pizza enfarinée. Verser 250 ml (1 tasse) de sauce au centre de chaque pizza, puis l'étendre pour couvrir la surface, mais laisser 1,2 cm (½ po) libre tout autour de la pizza. Répartir les tomates, les saucisses, les poivrons, l'ail et le piment en flocons sur la sauce.

• Glisser les pizzas sur la pierre à pizza et cuire de 4 à 5 min ou jusqu'à ce que les bords soient dorés. Retirer du four, parsemer de basilic et de persil, puis servir immédiatement.

INGRÉDIENTS

- 2 sachets de levure sèche active
- 1 litre (4 tasses) d'eau tiède à une température de 40 à 45 °C (105 à 115 °F)
- 1,4 à 1,5 kg (11 à 12 tasses) de farine tout usage, non blanchie
- 3 c. à soupe de sel de mer
- 500 ml (2 tasses) de Sauce pour l'amateur de pizza (voir p. 51)
- 4 tomates mûres, en tranches de 0,5 cm (¼ po) d'épaisseur
- 450 g (1 lb) de saucisses épicées, en tranches de 0,25 cm (⅛ po) d'épaisseur
- 115 g (½ tasse) de poivrons grillés marinés dans l'huile, égouttés et grossièrement hachés
- 6 gousses d'ail, en tranches
- 1 c. à café (1 c. à thé) de piment rouge séché, en flocons
- 10 g (¼ tasse) de basilic frais, haché
- 2 c. à soupe de persil italien frais, émincé

Pizza lasagne du restaurant Trianon

Donne 6 pizzas de 25 cm (10 po) ou 6 portions

- Pâte à pizza traditionnelle (voir p. 41) ou Pâte à pizza qui gonfle rapidement (voir p. 50)
- 250 ml (1 tasse) de Sauce pour l'amateur de pizza (voir p. 51)
- 130 g (½ tasse) de fromage ricotta
- 180 g (6 oz) de mozzarella de bufflonne, en tranches très fines
- 85 g (3 oz) de jambon cuit, coupé en dés
- 3 grosses tomates italiennes, pelées et grossièrement hachées
- 6 c. à soupe de fromage pecorino romano râpé
- 1 c. à soupe d'origan séché
- Sel de mer, au goût
- Huile d'olive extra-vierge pour verser en filet

À la Pizzeria Trianon, on m'a généreusement énuméré les ingrédients de cette pizza lasagne copieuse : mozzarella, ricotta, prosciutto cotto ou jambon cuit, tomates et fromage pecorino romano. J'ai ajouté les quantités pour que le goût de ce plat se rapproche le plus possible de ce que j'avais goûté à la pizzéria.

- Préchauffer le four contenant une pierre à pizza à 260 °C (500 °F) pendant au moins 30 min.

- Pétrir puis étirer chacune des boules de pâte à une épaisseur de 0,5 cm (¼ po) en laissant le bord extérieur légèrement plus épais. Chaque cercle doit avoir environ 25 cm (10 po) de diamètre. Déposer chaque cercle sur une palette à pizza enfarinée. Verser de la sauce au centre de chaque pizza, puis l'étendre pour couvrir la surface, mais laisser 1,2 cm (½ po) libre tout autour de la pizza. Parsemer uniformément la sauce tomate de ricotta. Répartir la mozzarella, le jambon et les tomates uniformément sur les cercles de pâte. Parsemer la pâte de pecorino romano et d'origan. Saler, puis verser de l'huile en filet.

- Glisser les pizzas sur la pierre à pizza et cuire de 4 à 5 min ou jusqu'à ce que les bords soient dorés. Retirer du four, puis servir immédiatement.

Pizza au prosciutto et à la roquette

Donne 6 pizzas de 25 cm (10 po) ou 6 portions

Voici la pizza à la mode, et avec raison. La saveur relevée de la roquette fait un mariage du tonnerre avec la douce saveur du prosciutto di Parma. Mais attention, ajoutez ces deux ingrédients seulement quand la pizza est cuite.

- Préchauffer le four contenant une pierre à pizza à 260 °C (500 °F) pendant au moins 30 min.

- Pétrir puis étirer chacune des boules de pâte à une épaisseur de 0,5 cm (¼ po) en laissant le bord extérieur légèrement plus épais. Chaque cercle doit avoir environ 25 cm (10 po) de diamètre. Déposer chaque cercle sur une palette à pizza enfarinée. Badigeonner légèrement la pâte d'huile d'olive. Répartir la mozzarella fumée uniformément entre les cercles de pâte, puis l'étendre pour couvrir la surface, mais laisser 1,2 cm (½ po) libre tout autour. Répartir le Parmigiano-Reggiano uniformément sur la mozzarella.

- Glisser les pizzas sur la pierre à pizza et cuire de 4 à 5 min ou jusqu'à ce que les bords soient dorés. Retirer du four et garnir chaque pizza de 2 tranches de prosciutto et d'une généreuse poignée de roquette. Servir immédiatement.

- Pâte à pizza traditionnelle (voir p. 41) ou Pâte à pizza qui gonfle rapidement (voir p. 50)
- Huile d'olive extra-vierge pour badigeonner
- 225 g (8 oz) de mozzarella fumée, en tranches très fines
- 60 g (½ tasse) de fromage Parmigiano-Reggiano grossièrement râpé
- 12 fines tranches de prosciutto di Parma
- Un bouquet de roquette dont on a retiré les tiges, coupé en julienne

Tous les jours, à l'automne, les amateurs de bolets scrutent les forêts et les collines d'Italie. Ces champignons terreux font partie de presque tous les services du repas, des salades, où ils sont servis crus en tranches avec de l'huile d'olive et du jus de citron, jusqu'aux riches soupes et aux sauces pour les pâtes. On sert même parfois des bolets grillés accompagnés d'ail et de fines herbes comme plat principal.

Pizza aux champignons

- 3 c. à soupe d'huile d'olive extra-vierge
- 80 g (½ tasse) d'oignon grossièrement haché
- 450 g (1 lb) de bolets ou de tout autre type de champignons frais, dont on a retiré les pieds, en tranches de 0,5 cm (¼ po) d'épaisseur
- 125 ml (½ tasse) de crème 35 %
- 1 c. à soupe de persil italien frais, émincé
- 2 c. à café (2 c. à thé) de thym frais, émincé
- Sel et poivre noir fraîchement moulu, au goût
- Pâte à pizza traditionnelle (voir p. 41) ou Pâte à pizza qui gonfle rapidement (voir p. 50)
- 340 g (12 oz) de mozzarella fumée, en tranches très fines
- 5 c. à soupe de fromage Parmigiano-Reggiano grossièrement râpé

À l'automne, les forêts d'Italie sont parsemées de chasseurs de champignons. Tout le monde veut cueillir des bolets. Vous pouvez les remplacer par d'autres champignons sauvages comme les shiitake et les morilles.

- Préchauffer le four contenant une pierre à pizza à 260 °C (500 °F) pendant au moins 30 min.

- Dans un poêlon, à feu moyen-élevé, chauffer l'huile d'olive. Faire sauter l'oignon de 3 à 4 min jusqu'à ce qu'il soit tendre sans être doré. Ajouter les champignons et cuire de 4 à 5 min jusqu'à ce qu'ils soient tendres. Incorporer la crème, le persil et le thym. Poursuivre la cuisson de 3 à 4 min jusqu'à ce que la crème ait légèrement épaissi. Saler et poivrer, retirer du feu et laisser refroidir.

- Pétrir puis étirer chacune des boules de pâte à une épaisseur de 0,5 cm (¼ po) en laissant le bord extérieur légèrement plus épais. Chaque cercle doit avoir environ 25 cm (10 po) de diamètre. Déposer chaque cercle sur une palette à pizza enfarinée. Répartir la mozzarella fumée uniformément entre les 6 cercles de pâte, puis l'étendre pour couvrir la surface, mais laisser 1,2 cm (½ po) libre tout autour. Répartir le mélange de champignons uniformément sur la mozzarella. Parsemer de Parmigiano-Reggiano.

- Glisser les pizzas sur la pierre à pizza et cuire de 4 à 5 min ou jusqu'à ce que les bords soient dorés. Retirer du four et servir immédiatement.

Pizza à la saucisse et aux rapinis

Donne 6 pizzas de 25 cm (10 po) ou 6 portions

Dans cette recette, vous pouvez remplacer les rapinis par des bettes à cardes ou par des épinards. C'est aussi savoureux.

• Dans un poêlon, à feu moyen-élevé, chauffer 3 c. à soupe d'huile d'olive. Ajouter l'oignon et l'ail, puis les faire sauter jusqu'à ce qu'ils soient tendres sans être dorés. Ajouter les saucisses et poursuivre la cuisson, en brassant de temps en temps, jusqu'à ce que la viande soit dorée.

• Ajouter le vin, les rapinis et le persil. Poursuivre la cuisson de 4 à 5 min jusqu'à ce que le vin ait réduit et que les rapinis soient tendres. Ajouter le sel, le poivre et le piment en flocons. Réserver.

• Préchauffer le four contenant une pierre à pizza à 260 °C (500 °F) pendant au moins 30 min.

• Pétrir puis étirer chacune des boules de pâte à une épaisseur de 0,5 cm (¼ po) en laissant le bord extérieur légèrement plus épais. Chaque cercle doit avoir environ 25 cm (10 po) de diamètre. Déposer chaque cercle sur une palette à pizza enfarinée. Badigeonner légèrement d'huile d'olive la surface de la pâte, mais laisser 1,2 cm (½ po) libre tout autour. Répartir le mélange de viande uniformément sur les pizzas.

• Glisser les pizzas sur la pierre à pizza et cuire de 4 à 5 min ou jusqu'à ce que les bords soient dorés. Retirer du four et servir immédiatement.

INGRÉDIENTS

- 3 c. à soupe d'huile d'olive extra-vierge, plus une quantité supplémentaire pour badigeonner
- 80 g (½ tasse) d'oignon haché
- 3 gousses d'ail, en tranches
- 225 g (8 oz) de saucisses de porc douces
- 125 ml (½ tasse) de vin blanc sec
- 180 g (6 oz) de rapinis grossièrement hachés
- 2 c. à soupe de persil italien frais, émincé
- Sel de mer et poivre noir fraîchement moulu, au goût
- Une pincée de piment rouge séché, en flocons
- Pâte à pizza traditionnelle (voir p. 41) ou Pâte à pizza qui gonfle rapidement (voir p. 50)

Pizza Margherita aux champignons et au jambon

Donne 6 pizzas de 25 cm (10 po) ou 6 portions

INGRÉDIENTS

- Pâte à pizza traditionnelle (voir p. 41)
- 225 g (8 oz) de tomates italiennes fraîches ou de tomates italiennes en conserve, en purée
- 340 g (12 oz) de mozzarella de bufflonne, en tranches de 0,5 cm (¼ po) d'épaisseur
- 225 g (8 oz) de champignons dont on a retiré les pieds, en tranches
- 340 g (12 oz) de jambon cuit, coupé en dés
- 30 g (¼ tasse) de fromage Parmigiano-Reggiano râpé
- Sel de mer, au goût
- 30 feuilles de basilic frais
- Huile d'olive extra-vierge pour verser en filet

PRÉPARATION

Antonio Pace, le président de l'Associazione Vera Pizza Napoletana, donne à sa pizza DOC le nom d'oro, ce qui signifie en or, faisant référence aux très grandes normes de qualité qui la régissent. Il nous offre également une variété d'ingrédients facultatifs qui peuvent être ajoutés à la pizza DOC: roquette, champignons, jambon, tomates fraîches ou anchois.

- Préchauffer le four contenant une pierre à pizza à 260 °C (500 °F) pendant au moins 30 min.

- Pétrir puis étirer chacune des boules de pâte à une épaisseur de 0,5 cm (¼ po) en laissant le bord extérieur légèrement plus épais. Chaque cercle doit avoir environ 25 cm (10 po) de diamètre. Déposer chaque cercle sur une palette à pizza enfarinée.

- Mettre une partie des tomates en purée au milieu de chaque cercle puis, dans un mouvement circulaire, les disposer uniformément sur chaque pizza, mais laisser 1,2 cm (½ po) libre tout autour de la pizza.

- Répartir uniformément la mozzarella, les champignons et le jambon sur les tomates en purée. Parsemer chaque pizza de Parmigiano-Reggiano, de sel de mer et de 2 ou 3 feuilles de basilic.

- Dans un mouvement circulaire, verser l'huile d'olive en filet en partant du centre et en allant vers l'extérieur. Glisser les pizzas sur la pierre à pizza et cuire de 1 à 1 ½ min ou jusqu'à ce que les bords soient dorés. Retirer du four, garnir du reste des feuilles de basilic et servir immédiatement.

Pizza du jardin

Donne 6 pizzas de 25 cm (10 po) ou 6 portions

Quand on fait la tournée des librairies entre la Piazza Dante et Port'Alba, on croise la première pizzéria qui a ouvert ses portes à Naples. Encore aujourd'hui, cet endroit est le rendez-vous des intellectuels, des artistes et des étudiants du quartier.

• Préchauffer le four contenant une pierre à pizza à 260 °C (500 °F) pendant au moins 30 min.

• Pétrir puis étirer chacune des boules de pâte à une épaisseur de 0,5 cm (¼ po) en laissant le bord extérieur légèrement plus épais. Chaque cercle doit avoir environ 25 cm (10 po) de diamètre. Déposer les cercles sur une palette à pizza enfarinée. Mettre une partie de la sauce tomate au milieu de chaque cercle en l'étendant pour couvrir la surface, mais laisser 1,2 cm (½ po) libre tout autour. Répartir la mozzarella uniformément entre les cercles de pâte. Parsemer uniformément la mozzarella de Parmigiano-Reggiano. Déposer les rapinis, les tomates, les champignons et l'oignon sur le fromage en faisant des cercles concentriques.

• Glisser les pizzas sur la pierre à pizza et cuire de 4 à 5 min ou jusqu'à ce que les bords soient dorés. Retirer du four et servir immédiatement.

• Pâte à pizza traditionnelle (voir p. 41) ou Pâte à pizza qui gonfle rapidement (voir p. 50)

• 250 ml (1 tasse) de Sauce pour l'amateur de pizza (voir p. 51)

• 225 g (8 oz) de mozzarella de vache Fior di latte, de préférence, en tranches très fines, ou d'un autre type de mozzarella de vache

• 60 g (½ tasse) de fromage Parmigiano-Reggiano grossièrement râpé

• 50 g (1 tasse) de rapinis, en tranches fines, blanchis

• 3 tomates italiennes, en tranches de 0,5 cm (¼ po) d'épaisseur

• 225 g (8 oz) de champignons portobellos dont on a retiré les pieds, en tranches de 0,5 cm (¼ po) d'épaisseur

• 1 oignon, en tranches de 0,5 cm (¼ po) d'épaisseur

Les câpres sont les boutons floraux du câprier – un arbrisseau touffu des régions méditerranéennes –, qui sont cueillis avant leur éclosion. Elles poussent en s'accrochant à des murs de pierre et à des remparts du centre et du Sud de l'Italie. Mais les plus savoureuses proviennent d'îles volcaniques qui entourent la Sicile. La meilleure façon de les conserver est de les mettre dans le sel de mer, car cette méthode conserve la saveur et la forme des boutons. Les câpres donnent du piquant aux plats et doivent être ajoutées seulement au moment de servir.

Pizza aux fruits de mer

Donne 6 pizzas de 25 cm (10 po) ou 6 portions

Ingrédients

- 3 c. à soupe d'huile d'olive extra-vierge, plus une quantité supplémentaire pour verser en filet
- 80 g (½ tasse) d'oignon haché
- 3 gousses d'ail émincées
- 250 ml (1 tasse) de vin blanc sec
- 15 g (¼ tasse) de persil italien frais, émincé
- 450 g (1 lb) de moules fraîches bien brossées et ébarbées
- Pâte à pizza traditionnelle (voir p. 41) ou Pâte à pizza qui gonfle rapidement (voir p. 50)
- 250 ml (1 tasse) de Sauce pour l'amateur de pizza (voir p. 51)
- 225 g (8 oz) de crevettes moyennes, décortiquées et déveinées
- 225 g (8 oz) de calmars parés et coupés en rondelles de 0,5 cm (¼ po) d'épaisseur
- 225 g (8 oz) de bar frais, coupé en morceaux de 2,5 cm (1 po)
- 40 g (¼ tasse) de câpres conservées dans le sel, rincées et égouttées

Voici une pizza sans fromage, car les Italiens accompagnent rarement les fruits de mer de fromage. Il faut évidemment utiliser des fruits de mer d'une fraîcheur irréprochable.

- Dans un grand poêlon à fond épais, chauffer l'huile d'olive à feu moyen-élevé. Y faire sauter l'oignon et l'ail jusqu'à ce qu'ils soient tendres sans être dorés. Ajouter le vin, le persil et les moules. Couvrir et cuire pendant environ 5 min, à feu élevé, jusqu'à ce que toutes les moules soient ouvertes. À l'aide d'une écumoire, retirer les moules et les laisser refroidir. Jeter toutes les moules qui sont encore fermées. Filtrer le bouillon et réserver le mélange d'oignon cuit.

- Retirer les moules des coquilles en conservant les demi-coquilles les plus profondes. Couper les ligaments, puis remettre les moules dans les coquilles. Verser 1 c. à café (1 c. à thé) du mélange d'oignon sur les moules et réserver.

- Préchauffer le four contenant une pierre à pizza à 260 °C (500 °F) pendant au moins 30 min.

- Pétrir puis étirer chacune des boules de pâte à une épaisseur de 0,5 cm (¼ po) en laissant le bord extérieur légèrement plus épais. Chaque cercle doit avoir environ 25 cm (10 po) de diamètre. Déposer chaque cercle sur une palette à pizza enfarinée. Verser un peu de sauce au milieu de chaque cercle de pâte, puis l'étendre pour couvrir la surface, mais laisser 1,2 cm (½ po) libre tout autour. Disposer les crevettes, les calmars et le bar dans les diverses sections, mais laisser une section vide pour ajouter les moules cuites. Parsemer les fruits de mer d'huile d'olive.

- Glisser les pizzas sur la pierre à pizza et cuire de 4 à 5 min ou jusqu'à ce que les bords soient dorés. Retirer du four, déposer les moules dans leurs coquilles sur la section de la pizza réservée à cet effet, puis parsemer les pizzas de câpres. Servir immédiatement.

Pizza aux palourdes

Donne 6 pizzas de 25 cm (10 po) ou 6 portions

Si vous faites cuire la pizza dans un four au bois dans lequel la pizza cuit en 2 min ou moins, placez les palourdes crues directement sur la pizza avant de la faire cuire. Si vous utilisez un four conventionnel, faites d'abord cuire les palourdes comme il est indiqué dans la recette.

- Dans un grand poêlon à fond épais, à feu moyen-élevé, chauffer 3 c. à soupe d'huile d'olive. Ajouter l'oignon et l'ail, puis les faire sauter jusqu'à ce qu'ils soient tendres sans être dorés. Ajouter le vin, le persil et les palourdes. Couvrir et cuire pendant environ 5 min à feu élevé en secouant le poêlon de temps en temps jusqu'à ce que toutes les palourdes soient ouvertes. À l'aide d'une écumoire, retirer les palourdes et les laisser refroidir. Jeter toutes celles qui sont encore fermées. Filtrer le bouillon et réserver le mélange d'oignon et d'ail cuits.

- Quand les palourdes sont assez froides pour être manipulées, jeter les demi-coquilles qui ne contiennent pas de chair. Couper les ligaments, puis remettre les palourdes dans les coquilles. Verser 1 c. à café (1 c. à thé) du mélange d'oignon et d'ail sur chacune des palourdes et réserver.

- Préchauffer le four contenant une pierre à pizza à 260 °C (500 °F) pendant au moins 30 min.

- Pétrir puis étirer chacune des boules de pâte à une épaisseur de 0,5 cm (¼ po) en laissant le bord extérieur légèrement plus épais. Chaque cercle doit avoir environ 25 cm (10 po) de diamètre. Déposer chaque cercle sur une palette à pizza enfarinée. Badigeonner chacun des cercles de pâte d'huile d'olive, mais laisser 1,2 cm (½ po) libre tout autour. Répartir l'ail émincé uniformément sur les pizzas.

- Glisser les pizzas sur la pierre à pizza et cuire de 4 à 5 min ou jusqu'à ce que les bords soient bien dorés. Retirer du four, puis déposer les câpres et les palourdes cuites dans leurs coquilles sur les pizzas. Servir immédiatement.

INGRÉDIENTS

- 3 c. à soupe d'huile d'olive extra-vierge, plus une quantité supplémentaire pour badigeonner
- 80 g (⅓ tasse) d'oignon haché
- 3 gousses d'ail émincées
- 250 ml (1 tasse) de vin blanc sec
- 15 g (¼ tasse) de persil italien frais, émincé
- 1,3 kg (3 lb) de petites palourdes fraîches, bien brossées
- Pâte à pizza traditionnelle (voir p. 41) ou Pâte à pizza qui gonfle rapidement (voir p. 50)
- 6 gousses d'ail émincées
- 40 g (¼ tasse) de câpres conservées dans le sel, rincées et égouttées

Pizza aux olives, aux anchois, aux tomates et aux câpres

Donne 6 pizzas de 25 cm (10 po) ou 6 portions

INGRÉDIENTS

- Pâte à pizza traditionnelle (voir p. 41) ou Pâte à pizza qui gonfle rapidement (voir p. 50)
- 250 ml (1 tasse) de Sauce pour l'amateur de pizza (voir p. 51)
- 285 g (10 oz) de mozzarella de bufflonne, en tranches très fines
- 30 g (¼ tasse) de fromage Parmigiano-Reggiano grossièrement râpé
- 135 g (1 tasse) d'olives noires italiennes ou grecques, avec les noyaux
- 60 g (2 oz) de filets d'anchois conservés dans le sel, rincés et égouttés
- 3 grosses tomates coupées en quartiers
- 2 c. à soupe de câpres conservées dans le sel, rincées et égouttées

PRÉPARATION

Voici une pizza méditerranéenne. Mais prévenez vos invités, les olives ne sont pas dénoyautées.

- Préchauffer le four contenant une pierre à pizza à 260 °C (500 °F) pendant au moins 30 min.

- Pétrir puis étirer chacune des boules de pâte à une épaisseur de 0,5 cm (¼ po) en laissant le bord extérieur légèrement plus épais. Chaque cercle doit avoir environ 25 cm (10 po) de diamètre. Déposer chaque cercle sur une palette à pizza enfarinée. Verser un peu de sauce au milieu de chaque cercle, puis l'étendre pour couvrir la surface, mais laisser 1,2 cm (½ po) libre tout autour. Répartir la mozzarella uniformément entre les cercles de pâte. Parsemer uniformément la mozzarella de Parmigiano-Reggiano. Disposer les olives, les anchois, les tomates et les câpres uniformément sur le fromage.

- Glisser les pizzas sur la pierre à pizza et cuire de 4 à 5 min ou jusqu'à ce que les bords soient bien dorés. Retirer du four et servir immédiatement.

Pizza blanche

Donne 6 pizzas de 25 cm (10 po) ou 6 portions

- 6 c. à soupe d'huile d'olive extra-vierge
- 3 gousses d'ail émincées
- 1 c. à café (1 c. à thé) de romarin frais, émincé
- Sel de mer, au goût
- Pâte à pizza traditionnelle (voir p. 41) ou Pâte à pizza qui gonfle rapidement (voir p. 50)

Voici la pizza du pauvre. Elle contient seulement de l'ail et de l'huile. C'est l'une des recettes préférées de ma famille. Quand nous nous sommes rassasiés de pizzas garnies de mille et une choses, j'utilise les restes de pâte pour faire cette pizza et j'en glisse dans les boîtes à lunch. Le lendemain midi, nous nous en régalons.

- Préchauffer le four contenant une pierre à pizza à 260 °C (500 °F) pendant au moins 30 min.

- Dans un petit bol, mélanger l'huile d'olive, l'ail, le romarin et le sel de mer. Pétrir puis étirer chacune des boules de pâte à une épaisseur de 0,5 cm (¼ po) en laissant le bord extérieur légèrement plus épais. Chaque cercle doit avoir environ 25 cm (10 po) de diamètre. Déposer chaque cercle sur une palette à pizza enfarinée. Badigeonner le centre de chaque pizza du mélange huile d'olive et ail, puis l'étendre pour couvrir la surface, mais laisser 1,2 cm (½ po) libre tout autour de la pizza.

- Glisser les pizzas sur la pierre à pizza et cuire de 4 à 5 min ou jusqu'à ce que les bords soient bien dorés. Retirer du four et servir immédiatement.

Donne 12 pizzas de 12,5 cm (5 po) ou 6 portions

- Pâte à pizza traditionnelle (voir p. 41) ou Pâte à pizza qui gonfle rapidement (voir p. 50)
- 6 c. à soupe d'huile d'olive extra-vierge
- 3 gousses d'ail émincées
- Huile à friture
- 6 c. à soupe de fromage Parmigiano-Reggiano râpé
- 6 tomates pelées et grossièrement hachées
- 12 feuilles de basilic frais

La pizza frite est un hors-d'œuvre délicieux par une journée froide. L'huile doit être très chaude pour que la pizza cuise rapidement et qu'elle n'absorbe pas beaucoup d'huile.

• Quand la pâte a levé pour la deuxième fois, la diviser en 12 morceaux. Pétrir puis étirer chaque morceau à une épaisseur de 0,5 cm (¼ po). Chaque cercle doit avoir environ 12,5 cm (5 po) de diamètre.

• Dans un petit bol, mélanger l'huile d'olive et l'ail, puis réserver.

• Dans un grand poêlon à fond épais, chauffer 5 cm (2 po) d'huile à friture jusqu'à ce qu'elle soit brûlante, mais elle ne doit pas fumer. Faire frire les cercles de pâte de 2 à 3 min de chaque côté ou jusqu'à ce que les bords soient bien dorés. Les égoutter sur du papier essuie-tout. Quand les cercles sont encore chauds, les badigeonner du mélange huile d'olive et ail, puis les parsemer de fromage râpé. Garnir de tomates et de basilic, puis servir immédiatement.

La pizza d'un mètre de longueur

Donne une grande pizza de 20 x 91 cm (8 x 36 po) ou 30 portions

Voici une pizza pour recevoir plusieurs personnes. Vous pouvez faire la pâte en deux parties. Si votre four n'est pas assez grand pour que vous y mettiez une pizza de 1 mètre (env. 3 pi), faites-la en 3 sections et réunissez-les une fois qu'elles sont cuites.

• Dans le bol d'un batteur électrique résistant muni d'un crochet pétrisseur, mélanger la levure dans l'eau tiède jusqu'à ce qu'elle soit dissoute. Ajouter 130 g (1 tasse) de farine et le sel. Bien mélanger. Ajouter le reste de la farine, 130 g (1 tasse) à la fois, en malaxant pendant environ 10 min jusqu'à ce que la pâte ne colle plus.

• Façonner la pâte en boule et la déposer dans un contenant légèrement huilé. Tourner la pâte dans le contenant pour l'enduire d'huile. La couvrir d'une pellicule plastique et la laisser gonfler pendant 1 h dans un endroit chaud à une température d'environ 25 °C (75 °F), à l'abri des courants d'air ou jusqu'à ce que la pâte ait doublé de volume.

• Donner des coups sur la pâte pour expulser le gaz carbonique, puis la déposer sur un plan de travail légèrement enfariné. Aplatir la pâte en un rectangle d'environ 10 x 45 cm (4 x 18 po). Couvrir la pâte d'un linge à vaisselle et la laisser gonfler pendant 45 min jusqu'à ce qu'elle ait doublé de volume.

• Préchauffer le four contenant une pierre à pizza à 260 °C (500 °F) pendant au moins 30 min.

• Étirer la pâte à une épaisseur de 0,5 cm (¼ po) en formant un rectangle de 20 x 91 cm (8 x 36 po) ou 3 rectangles de 20 x 30 cm (8 x 12 po). Déposer la pâte sur une palette à pizza enfarinée. Étendre une fine couche de sauce sur la pizza, mais laisser 1,2 cm (½ po) libre tout autour. Garnir d'une couche de mozzarella. Déposer les ingrédients de la garniture en alternance (salami, cœurs d'artichaut, olives et courgettes) sur des bandes de pâte de 10 cm (4 po), puis glisser la pizza sur la pierre à pizza. Cuire de 4 à 5 min ou jusqu'à ce que le bord soit bien doré. Retirer du four, couper en carrés de 10 cm (4 po) et servir immédiatement.

Ingrédients

- 5 sachets de levure sèche active
- 1,5 litre (6 tasses) d'eau tiède à une température de 40 à 45 °C (105 à 115 °F)
- 2,3 kg (5 lb) de farine tout usage, non blanchie
- 6 c. à soupe de sel de mer
- 1 litre (4 tasses) de Sauce pour l'amateur de pizza (voir p. 51)
- 450 g (1 lb) de mozzarella de vache Fior di latte, de préférence, en tranches de 0,5 cm (¼ po) d'épaisseur, ou d'un autre type de mozzarella de vache
- 225 g (8 oz) de salami, en tranches fines
- 340 g (12 oz) de cœurs d'artichaut marinés, en quartiers
- 135 g (1 tasse) d'olives noires italiennes ou grecques
- 2 courgettes, en tranches de 0,5 cm (¼ po) d'épaisseur

Selon le Smithsonian Magazine, *les Américains mangent 350 pointes de pizza toutes les secondes, et cette industrie représente 30 milliards de dollars. Burton Anderson, l'auteur de* Treasures of the Italian Tables, *mentionne qu'il y a un renouveau dans le monde des pizzas américaines et décrit les diverses variétés de croûtes minces ou épaisses, les formes inhabituelles et les garnitures qui repoussent les limites de l'imagination.*

LES PIZZAS DES RÉGIONS DE L'ITALIE

Pâte à pizza à la semoule de blé tendre

Donne suffisamment de pâte pour faire 6 pizzas de 20 cm (8 po)

- 1 sachet de levure sèche active
- 2 c. à soupe de sucre cristallisé
- 375 ml (1 ¹/₂ tasse) d'eau tiède à une température de 40 à 45 °C (105 à 115 °F)
- 455 g (3 ¹/₂ tasses) de farine tout usage, non blanchie
- 70 g (¹/₂ tasse) de semoule de blé tendre
- 1 c. à soupe de sel
- 3 c. à soupe d'huile d'olive extra-vierge, plus une quantité supplémentaire pour badigeonner

La recette de la tendre pâte à pizza napolitaine traditionnelle faite en ajoutant de la farine à pâtisserie à de la farine tout usage a été copiée et modifiée par diverses pizzérias partout en Italie. L'une des modifications les plus courantes est l'ajout de semoule à la pâte. La semoule de blé tendre donne à la pâte une texture plus croustillante. Pour intensifier l'effet davantage, vous pouvez aplatir la pâte avec un rouleau à pâtisserie pour expulser l'air.

• Dissoudre la levure et le sucre dans 125 ml (½ tasse) d'eau tiède.

• Dans le bol d'un batteur électrique résistant muni d'un crochet pétrisseur, mélanger la farine tout usage, la semoule de blé tendre et le sel. Ajouter le mélange de levure et 3 c. à soupe d'huile, puis verser graduellement le reste de l'eau. Malaxer pendant 10 min ou jusqu'à ce que la pâte soit homogène et élastique.

• Sur un plan de travail légèrement enfariné, pétrir la pâte et la façonner en boule. La déposer dans un bol légèrement huilé. Tourner la pâte dans le bol pour l'enduire d'huile. Couvrir de pellicule plastique et laisser gonfler pendant 30 min dans un endroit chaud à une température d'environ 25 °C (75 °F), à l'abri des courants d'air, jusqu'à ce que la pâte ait doublé de volume.

• Donner des coups sur la pâte pour expulser le gaz carbonique. La diviser en 6 morceaux. Façonner les morceaux en boules. Déposer les boules sur un plan de travail légèrement enfariné, couvrir d'un linge à vaisselle et laisser gonfler pendant 45 min.

INGRÉDIENTS

- 3 bulbes d'ail
- 125 ml (½ tasse) d'huile d'olive extra-vierge
- Sel de mer et poivre noir fraîchement moulu, au goût
- Pâte à pizza à la semoule de blé tendre (voir p. 82)
- 1 c. à café (1 c. à thé) de romarin frais, émincé

Voici une interprétation moderne de la Pizza Bianca napolitaine ou Pizza blanche. La pizza traditionnelle est seulement garnie d'huile d'olive et d'ail. Cette version va un peu plus loin, car l'ail est grillé.

• Préchauffer le four contenant une pierre à pizza à 260 °C (500 °F) pendant au moins 30 min.

• Avec la pointe d'un petit couteau, faire des incisions au milieu de chaque bulbe d'ail, tout autour, mais ne pas couper dans les gousses. Enlever la moitié supérieure de la fine membrane pour que l'on puisse voir les gousses. Mettre les bulbes dans un petit plat à rôtir huilé, puis verser l'huile d'olive sur les bulbes. Saler, poivrer, puis mettre un couvercle ou couvrir d'un papier d'aluminium et cuire au four pendant 20 min ou jusqu'à ce que les gousses soient tendres. Retirer du four, puis laisser refroidir en laissant les bulbes couverts. Quand l'ail est assez froid, presser les gousses dans l'huile d'olive qui est au fond du plat.

• Pétrir puis étirer chacune des boules de pâte à une épaisseur de 0,5 cm (¼ po) en laissant le bord extérieur légèrement plus épais. Chaque cercle doit avoir environ 20 cm (8 po) de diamètre. Déposer chaque cercle sur une palette à pizza enfarinée. Badigeonner chaque pizza d'huile d'olive à l'ail, mais laisser 1,2 cm (½ po) libre tout autour de la pizza. Parsemer de romarin.

• Glisser les pizzas sur la pierre à pizza et cuire de 4 à 5 min ou jusqu'à ce que les bords soient bien dorés. Retirer du four et servir immédiatement.

Pizza sicilienne

Donne 6 pizzas de 25 cm (10 po) ou 6 portions

- 450 g (1 lb) d'aubergine pelée et coupée en cubes de 2,5 cm (1 po)
- Sel pour l'aubergine, plus une quantité supplémentaire, au goût
- 3 c. à soupe d'huile d'olive extra-vierge
- 2 gousses d'ail émincées
- 395 g (14 oz) de tomates italiennes fraîches, hachées ou 395 g (14 oz) de tomates italiennes en conserve, passées au moulin
- 35 g (1/4 tasse) d'olives noires italiennes ou grecques, dénoyautées
- 1/4 c. à café (1/4 c. à thé) d'origan séché
- 2 c. à soupe de câpres conservées dans le sel, rincées et égouttées
- Poivre noir fraîchement moulu, au goût
- Pâte à pizza traditionnelle (voir p. 41) ou Pâte à pizza qui gonfle rapidement (voir p. 50)
- 180 g (6 oz) de mozzarella de vache Fior di latte, de préférence, en tranches très fines, ou d'un autre type de mozzarella de vache

Aubergine est l'un des prénoms de la Sicile! Et c'est particulièrement vrai quand l'aubergine est associée aux tomates, aux câpres et aux olives. Ces ingrédients constituent aussi une magnifique garniture pour un calzone.

- Sur une tôle à biscuits, étendre l'aubergine en formant une seule couche. La parsemer de sel, puis y déposer une autre tôle à biscuits pour faire un poids et laisser ainsi pendant environ 1 h. Rincer l'aubergine et l'égoutter sur du papier essuie-tout.

- Dans un grand poêlon, à feu moyen, chauffer l'huile d'olive. Ajouter l'aubergine et l'ail et cuire de 5 à 6 min en brassant souvent. Ajouter les tomates, les olives, l'origan et les câpres. Cuire pendant environ 10 min jusqu'à ce que la sauce ait épaissi. Saler, poivrer et réserver.

- Préchauffer le four contenant une pierre à pizza à 260 °C (500 °F) pendant au moins 30 min.

- Pétrir chaque boule de pâte, puis l'étirer à une épaisseur de 0,5 cm (¼ po) en laissant le bord extérieur légèrement plus épais. Chaque cercle doit avoir environ 25 cm (10 po) de diamètre. Déposer chaque cercle sur une palette à pizza enfarinée. Déposer un peu du mélange d'aubergine au centre de chaque pizza, puis l'étendre pour couvrir la surface, mais laisser 1,2 cm (½ po) libre tout autour de la pizza. Répartir la mozzarella uniformément entre les cercles.

- Glisser délicatement les pizzas sur la pierre à pizza et cuire de 4 à 5 min ou jusqu'à ce que les bords des pizzas soient bien dorés. Retirer du four et servir immédiatement.

Pizza aux trois tomates

Donne 6 pizzas de 20 cm (8 po) ou 6 portions

Cette pizza d'été est constituée de trois couches de tomates : des tomates italiennes en conserve, des tomates cerises fraîches et des tomates séchées à la saveur intense.

• Préchauffer le four contenant une pierre à pizza à 260 °C (500 °F) pendant au moins 30 min.

• Pétrir chaque boule de pâte, puis l'étirer à une épaisseur de 0,5 cm (¼ po) en laissant le bord extérieur légèrement plus épais. Chaque cercle doit avoir environ 20 cm (8 po) de diamètre. Déposer chaque cercle sur une palette à pizza enfarinée. Mettre un peu du mélange de tomates en purée au centre de chaque cercle de pâte, puis l'étendre pour couvrir la surface, mais laisser 1,2 cm (½ po) libre tout autour. Parsemer d'origan et d'ail. Répartir le provolone également entre les pizzas. Répartir les tomates cerises, les tomates séchées et les olives également sur le fromage. Verser un filet d'huile d'olive.

• Glisser les pizzas sur la pierre à pizza. Cuire de 4 à 5 min ou jusqu'à ce que les bords des pizzas soient bien dorés. Retirer du four et servir immédiatement.

INGRÉDIENTS

• Pâte à pizza à la semoule de blé tendre (voir p. 82)

• 340 g (12 oz) de tomates italiennes en conserve, égouttées et passées au moulin ou réduites en purée à l'aide d'un mélangeur ou d'un robot culinaire

• 1 c. à soupe d'origan frais, émincé

• 3 gousses d'ail émincées

• 180 g (6 oz) de fromage provolone, en tranches fines

• 225 g (8 oz) de tomates cerises jaunes, coupées en 2

• 180 g (6 oz) de tomates séchées au soleil, conservées dans l'huile, égouttées et coupées en julienne

• 225 g (8 oz) d'olives noires italiennes ou grecques, dénoyautées

• Huile d'olive extra-vierge pour verser en filet

INGRÉDIENTS

- Pâte à pizza traditionnelle (voir p. 41) ou Pâte à pizza qui gonfle rapidement (voir p. 50)
- 225 g (8 oz) de tomates San Marzano ou italiennes fraîches, hachées ou 225 g (8 oz) de tomates italiennes en conserve passées au moulin ou réduites en purée à l'aide d'un mélangeur ou d'un robot culinaire
- 340 g (12 oz) de mozzarella de bufflonne coupée en tranches de 0,5 cm (¼ po) d'épaisseur
- 30 g (¼ tasse) de fromage Parmigiano-Reggiano râpé
- Sel de mer, au goût
- 18 filets d'anchois conservés dans le sel, rincés et égouttés
- Huile d'olive extra-vierge pour verser en filet

PRÉPARATION

En dehors de la ville de Naples, la pizza napolitaine est garnie de tomates, de fromage et d'anchois. Mais à Naples, la même pizza se nomme pizza romaine.

- Préchauffer le four contenant une pierre à pizza à 260 °C (500 °F) pendant au moins 30 min.

- Pétrir chaque boule de pâte, puis l'étirer à une épaisseur de 0,5 cm (¼ po) en laissant le bord extérieur légèrement plus épais. Chaque cercle doit avoir environ 25 cm (10 po) de diamètre. Déposer chaque cercle sur une palette à pizza enfarinée.

- Mettre un peu du mélange de tomates en purée au centre de chaque cercle de pâte et, dans un mouvement circulaire, l'étendre uniformément sur chaque cercle, mais laisser 1,2 cm (½ po) libre tout autour.

- Répartir la mozzarella également sur les tomates. Parsemer chaque cercle de Parmigiano-Reggiano, saler et garnir de 2 ou 3 filets d'anchois. Dans un mouvement circulaire, verser l'huile d'olive en filet en commençant par le centre et en allant vers l'extérieur.

- Glisser les pizzas sur la pierre à pizza et cuire de 1 à 1 ½ min ou jusqu'à ce que les bords soient bien dorés. Retirer du four et servir immédiatement.

Pizza aux olives noires, aux anchois et aux tomates

Donne 6 pizzas de 25 cm (10 po) ou 6 portions

- Pâte à pizza traditionnelle (voir p. 41) ou Pâte à pizza qui gonfle rapidement (voir p. 50)
- 250 ml (1 tasse) de Sauce pour l'amateur de pizza (voir p. 51)
- 180 g (6 oz) de fromage provolone, en tranches fines
- 225 g (8 oz) d'olives noires italiennes ou grecques, dénoyautées
- 60 g (2 oz) de filets d'anchois conservés dans le sel, rincés et égouttés
- 3 grosses tomates, en tranches de 1,2 cm (½ po) d'épaisseur

La région des Pouilles, qui constitue visuellement le talon de la botte italienne, possède un long littoral. Cette simple pizza d'été met en valeur les anchois, mais on pourrait aussi y ajouter du poisson fraîchement pêché.

• Préchauffer le four contenant une pierre à pizza à 260 °C (500 °F) pendant au moins 30 min.

• Pétrir chaque boule de pâte, puis l'étirer à une épaisseur de 0,5 cm (¼ po) en laissant le bord extérieur légèrement plus épais. Chaque cercle doit avoir environ 25 cm (10 po) de diamètre. Déposer chaque cercle sur une palette à pizza enfarinée. Verser un peu de sauce au centre de chaque cercle de pâte, puis l'étendre pour couvrir la surface, mais laisser 1,2 cm (½ po) libre tout autour. Répartir le provolone également sur les cercles. Disposer les olives, les anchois et les tomates également sur le dessus.

• Glisser les pizzas sur la pierre à pizza et cuire de 4 à 5 min ou jusqu'à ce que les bords soient bien dorés. Retirer du four et servir immédiatement.

«*La chose la plus importante dans la pizza, c'est la pâte, elle doit être bonne. La pizza, c'est d'abord la pâte. Quand on y ajoute les autres ingrédients, la Pizza Margherita devient la mère et le père, c'est la Pizza Marinara.*»
Antonio Pace, président de l'Associazione Vera Pizza Napoletana

INGRÉDIENTS PRÉPARATION

INGRÉDIENTS

- Pâte à pizza traditionnelle (voir p. 41) ou Pâte à pizza qui gonfle rapidement (voir p. 50), préparée jusqu'à ce qu'elle gonfle pour la première fois
- 2 c. à café (2 c. à thé) de zeste de citron râpé
- 340 g (12 oz) de thon frais, coupé en morceaux de 2,5 cm (1 po)
- 1 oignon, en tranches fines
- 3 c. à soupe d'huile d'olive extra-vierge, plus une quantité supplémentaire pour verser en filet
- 40 g (½ tasse) de câpres conservées dans le sel, rincées et égouttées
- 1 c. à soupe de thym frais, émincé
- 1 c. à soupe de persil italien frais, émincé

PRÉPARATION

Les mini-pizzas constituent la façon parfaite de servir des pizzas en hors-d'œuvre. Lors d'une réception, présentez-les avec une variété de garnitures comme une julienne de poivrons grillés rouges et jaunes accompagnée de pignons ou avec du saumon fumé et de l'aneth frais, haché, ajouté après la cuisson.

- Pétrir la pâte après y avoir ajouté le zeste de citron. La diviser en 12 morceaux. Façonner chaque morceau en boule. Les déposer sur un plan de travail légèrement enfariné, couvrir d'un linge à vaisselle humide et laisser gonfler de 2 à 4 h (Pâte à pizza traditionnelle) ou 45 min (Pâte à pizza qui gonfle rapidement) ou jusqu'à ce que la pâte ait doublé de volume.

- Préchauffer le four contenant une pierre à pizza à 260 °C (500 °F) pendant au moins 30 min.

- Pétrir puis étirer chacune des boules de pâte à une épaisseur de 0,5 cm (¼ po) en laissant le bord extérieur légèrement plus épais. Chaque cercle doit avoir environ 10 cm (4 po) de diamètre. Déposer chaque cercle sur une palette à pizza enfarinée. Badigeonner chaque cercle de pâte d'huile d'olive. Répartir le thon et l'oignon entre les cercles de pâte.

- Verser un filet d'huile d'olive sur les pizzas, les glisser sur la pierre à pizza et cuire de 4 à 5 min ou jusqu'à ce que les bords soient bien dorés. Retirer du four, puis parsemer des câpres et des fines herbes fraîches. Servir immédiatement.

Pizza à la scarole

Donne 6 pizzas de 25 cm (10 po) ou 6 portions

Cette pizza, qui est traditionnellement servie à Noël, constitue un mélange assez inhabituel. On y trouve de la scarole, des pignons, des olives et des raisins secs, parfois même des anchois.

• Préchauffer le four contenant une pierre à pizza à 260 °C (500 °F) de 30 min à 1 h.

• Dans une grande casserole d'eau bouillante salée, blanchir la scarole de 3 à 4 min jusqu'à ce qu'elle soit tendre. L'égoutter, puis la plonger immédiatement dans l'eau glacée. L'égoutter encore et réserver.

• Dans un poêlon, à feu moyen-élevé, chauffer 3 c. à soupe d'huile d'olive. Faire sauter l'oignon de 3 à 4 min jusqu'à ce qu'il soit tendre sans être doré. Ajouter l'ail et la scarole et cuire de 4 à 5 min jusqu'à ce que l'ail soit tendre. Incorporer les olives, les raisins et les pignons. Saler et poivrer, retirer du feu et laisser refroidir.

• Pétrir chaque boule de pâte, puis l'étirer à une épaisseur de 0,5 cm (¼ po) en laissant le bord extérieur légèrement plus épais. Chaque cercle doit avoir environ 25 cm (10 po) de diamètre. Déposer chaque cercle sur une palette à pizza enfarinée. Répartir le mélange de scarole également entre les cercles, puis l'étendre pour couvrir la surface, mais laisser 1,2 cm (½ po) libre tout autour. Verser un filet d'huile d'olive.

• Glisser les pizzas sur la pierre à pizza et cuire de 4 à 5 min ou jusqu'à ce que les bords soient bien dorés. Retirer du four, parsemer de câpres et servir immédiatement.

• 225 g (8 oz) de scarole coupée en julienne
• 3 c. à soupe d'huile d'olive extra-vierge, plus une quantité supplémentaire pour verser en filet
• 80 g (½ tasse) d'oignon grossièrement haché
• 3 gousses d'ail émincées
• 70 g (½ tasse) d'olives noires italiennes ou grecques, dénoyautées
• 40 g (¼ tasse) de raisins secs
• 40 g (¼ tasse) de pignons
• Sel et poivre noir fraîchement moulu, au goût
• Pâte à pizza traditionnelle (voir p. 41) ou Pâte à pizza qui gonfle rapidement (voir p. 50)
• 40 g (¼ tasse) de câpres conservées dans le sel, rincées et égouttées

INGRÉDIENTS

- 3 c. à soupe d'huile d'olive extra-vierge
- 80 g (½ tasse) d'oignon coupé en dés
- 180 g (3 tasses) de feuilles d'épinards, frais
- 130 g (½ tasse) de fromage ricotta
- Sel et poivre noir fraîchement moulu, au goût
- Pâte à pizza traditionnelle (voir p. 41) ou Pâte à pizza qui gonfle rapidement (voir p. 50), divisée en 2 boules avant qu'elle gonfle pour la deuxième fois
- 250 ml (1 tasse) de Sauce pour l'amateur de pizza (voir p. 51)
- 225 g (8 oz) de mozzarella de vache Fior di latte, de préférence, en tranches de 0,5 cm (¼ po) d'épaisseur, ou d'un autre type de mozzarella de vache

PRÉPARATION

Voici une pizza roulée et tranchée. Vous pouvez la garnir de vos ingrédients préférés, mais généralement on y trouve de la viande, des légumes verts et du fromage. Délicieux en hors-d'œuvre ou comme accompagnement.

- Dans un poêlon, à feu moyen-élevé, chauffer l'huile d'olive. Ajouter l'oignon et le faire sauter de 3 à 4 min jusqu'à ce qu'il soit tendre. Ajouter les épinards et cuire pendant environ 3 min jusqu'à ce qu'ils soient tombés. Incorporer la ricotta, puis saler et poivrer. Réserver.

- Déposer les boules de pâte dans 2 bols légèrement huilés. Tourner chaque boule pour l'enduire d'huile. Couvrir de pellicule plastique et laisser gonfler pendant 1 h dans un endroit chaud à une température d'environ 25 °C (75 °F), à l'abri des courants d'air ou jusqu'à ce que la pâte ait doublé de volume.

- Donner des coups sur la pâte pour expulser le gaz carbonique, puis déposer un morceau de pâte sur un plan de travail légèrement enfariné. Aplatir la pâte en un rectangle d'environ 30 x 45 cm (12 x 18 po). Répéter l'opération pour le deuxième morceau de pâte. Couvrir chaque morceau d'un linge à vaisselle et les laisser gonfler pendant 45 min ou jusqu'à ce que la pâte ait doublé de volume.

- Préchauffer le four contenant une pierre à pizza à 260 °C (500 °F) pendant au moins 30 min.

- Pétrir puis étirer chaque morceau de pâte à une épaisseur de 0,5 cm (¼ po) en lui conservant sa forme rectangulaire. Déposer les morceaux de pâte sur une palette à pizza enfarinée. Étendre une fine couche de sauce sur chaque rectangle, mais laisser 1,2 cm (½ po) libre tout autour. Garnir chaque rectangle de la moitié du mélange épinards-ricotta, puis d'une couche de mozzarella (la moitié de la mozzarella). Rouler chaque morceau comme un gâteau roulé en commençant à rouler à partir du côté le plus étroit. Glisser les pizzas roulées sur la pierre à pizza, la couture vers le bas, pour ne pas qu'elles se déroulent. Cuire de 4 à 5 min ou jusqu'à ce que les bords soient bien dorés. Retirer du four, couper en diagonale, en tranches de 1,2 cm (½ po), et servir immédiatement.

Pizza aux crevettes, aux poivrons grillés et au pesto

Donne 6 pizzas de 25 cm (10 po) ou 6 portions

La région qui entoure Gênes est réputée pour son pesto, ce savoureux mélange de basilic, d'ail, de Parmigiano-Reggiano et d'huile d'olive extra-vierge. Quand on le sert avec des crevettes fraîches et des poivrons grillés, on obtient une garniture à pizza colorée et savoureuse.

LE PESTO

• Dans un mélangeur ou un robot culinaire, réduire l'ail en purée. Ajouter le basilic et la moitié des pignons, puis mélanger jusqu'à l'obtention d'une texture granuleuse. Pendant que l'appareil est en marche, ajouter l'huile graduellement jusqu'à l'obtention d'une consistance onctueuse. Verser le tout dans un grand bol et incorporer le fromage à la main.

LA PIZZA

• Ajouter les crevettes et les poivrons grillés, puis mélanger. Couvrir et placer au réfrigérateur pendant au moins 1 h.

• Préchauffer le four contenant une pierre à pizza à 260 °C (500 °F) pendant au moins 30 min.

• Pétrir chaque boule de pâte, puis l'étirer à une épaisseur de 0,5 cm (¼ po) en laissant le bord extérieur légèrement plus épais. Chaque cercle doit avoir environ 25 cm (10 po) de diamètre. Déposer chaque cercle sur une palette à pizza enfarinée. Répartir le mélange de crevettes et le pesto également sur les cercles pour couvrir la surface, mais laisser 1,2 cm (½ po) libre tout autour. Répartir le reste des pignons également sur le mélange de crevettes.

• Glisser les pizzas sur la pierre à pizza et cuire de 4 à 5 min ou jusqu'à ce que les bords soient bien dorés. Retirer du four et servir immédiatement.

INGRÉDIENTS

LE PESTO

• 2 gousses d'ail
• 45 g (1 tasse) de feuilles de basilic frais, bien tassées
• 85 g (½ tasse) de pignons grillés
• 60 ml (¼ tasse) d'huile d'olive extra-vierge
• 3 c. à soupe de fromage Parmigiano-Reggiano finement râpé

LA PIZZA

• 225 g (8 oz) de crevettes moyennes, décortiquées, déveinées et coupées en papillon
• 1 poivron rouge grillé, pelé et coupé en julienne
• 1 poivron jaune grillé, pelé et coupé en julienne
• Pâte à pizza traditionnelle (voir p. 41) ou Pâte à pizza qui gonfle rapidement (voir p. 50)

L'une de mes pizzas
régionales préférées est
garnie d'oignon, de fines
herbes, d'olives noires,
d'anchois et de tomate.
Cette pizza change de
nom le long de la côte :
en Ligurie, on l'appelle
sardenaria, *un peu plus
au nord, c'est la* pizza di
ventimiglia *ou* pisciadela.
*Et en France, le même
plat se nomme*
pissaladière.

La première description des tomates, en Italie, a été faite par Pietro Andrea Mattioli, en 1544. Il les appelait pomi d'oro *ou pommes d'or. À cette époque, on les utilisait seulement comme plantes ornementales, et la plupart des gens croyaient qu'elles étaient toxiques ou, mieux, aphrodisiaques. Ce n'est pas avant le 17e siècle que les tomates sont entrées dans la cuisine.*

Calzone aux tomates séchées à la calabraise

- 3 c. à soupe d'huile d'olive extra-vierge, plus 2 c. à soupe pour badigeonner
- 80 g (½ tasse) d'oignon coupé en dés
- 1 gousse d'ail émincée
- 60 g (2 oz) de salami coupé en dés de 0,5 cm (¼ po)
- 260 g (1 tasse) de fromage ricotta
- 115 g (4 oz) de tomates séchées au soleil conservées dans l'huile, égouttées et grossièrement hachées
- 1 c. à soupe de persil italien frais, émincé
- Sel de mer et poivre noir fraîchement moulu, au goût
- Pâte à pizza traditionnelle (voir p. 41) ou Pâte à pizza qui gonfle rapidement (voir p. 50)

Si vous traversez le Sud de la Calabre, l'été, vous apercevrez sans doute des bacs de tomate qui sont en train de sécher. Cette méthode de conservation ancienne intensifie et concentre la saveur.

- Préchauffer le four contenant une pierre à pizza à 260 °C (500 °F) pendant au moins 30 min.

- Dans un poêlon, à feu moyen-élevé, chauffer 3 c. à soupe d'huile d'olive. Y faire sauter l'oignon de 4 à 5 min jusqu'à ce que les bords soient bien dorés. Ajouter l'ail et le salami et cuire pendant environ 2 min jusqu'à ce que l'ail soit tendre. Retirer du feu et incorporer la ricotta, les tomates séchées et le persil. Bien mélanger, puis saler et poivrer. Réserver.

- Pétrir chaque boule de pâte, puis l'étirer à une épaisseur de 0,5 cm (¼ po) en laissant le bord extérieur légèrement plus épais. Chaque cercle doit avoir environ 25 cm (10 po) de diamètre. Déposer chaque cercle sur une palette à pizza enfarinée. Répartir la garniture également entre les 6 cercles. Replier chaque cercle en 2 en pinçant les bords pour bien les sceller. Badigeonner de 2 c. à soupe d'huile d'olive.

- Glisser les calzones sur la pierre à pizza et cuire de 4 à 5 min ou jusqu'à ce qu'ils soient bien dorés. Retirer du four et servir immédiatement.

Calzones frits

Donne 12 petits calzones ou 6 portions

Les petits comptoirs où l'on vend de la friture sont chose courante à Naples. On les trouve habituellement près des endroits où l'on vend de la pizza pour emporter.

• Dans un poêlon, à feu moyen-élevé, chauffer l'huile d'olive. Y faire sauter l'oignon de 4 à 5 min jusqu'à ce que les bords soient dorés. Ajouter les épinards, couvrir et cuire pendant environ 2 min jusqu'à ce que les épinards soient tombés. Retirer du feu et laisser refroidir. Incorporer la ricotta, le Parmigiano-Reggiano et le gorgonzola. Bien mélanger, puis saler et poivrer. Réserver.

• Diviser la pâte en 12 morceaux. Pétrir chaque morceau de pâte, puis l'étirer à une épaisseur de 0,5 cm (¼ po). Chaque cercle doit avoir environ 12,5 cm (5 po) de diamètre. Répartir la garniture également entre les cercles, mais laisser 1,2 cm (½ po) libre tout autour. Replier chaque cercle en 2 en roulant le côté inférieur sur le dessus et en pinçant les bords pour bien les sceller.

• Dans un poêlon, chauffer 5 cm (2 po) d'huile à friture. Frire les calzones de 2 à 3 min de chaque côté ou jusqu'à ce que les bords soient bien dorés. Les égoutter sur du papier essuie-tout et servir immédiatement.

- 3 c. à soupe d'huile d'olive extra-vierge
- 80 g (½ tasse) d'oignon coupé en dés
- 340 g (12 oz) d'épinards frais dont on a retiré les tiges
- 130 g (½ tasse) de fromage ricotta
- 90 g (¾ tasse) de fromage Parmigiano-Reggiano râpé
- 130 g (½ tasse) de fromage gorgonzola émietté
- Sel de mer et poivre noir fraîchement moulu, au goût
- Pâte à pizza traditionnelle (voir p. 41) ou Pâte à pizza qui gonfle rapidement (voir p. 50)
- Huile à friture

Les comptoirs à friture que certains appellent friteries (friggitorie) conservent de l'huile bouillante dans d'immenses bacs de cuivre pour servir de savoureux amuse-gueule comme les arancini, des boules de riz frites, du fritto misto, de la friture de fruits de mer et de légumes, ainsi que de la pizza frite et des calzones. Cette tradition remonte au 18e siècle quand la nourriture que l'on vendait dans les rues était la seule que de nombreux paysans pouvaient manger, car ils n'avaient pas de cuisine. Encore aujourd'hui, c'est une industrie essentielle qui vit près des comptoirs à pizzas, assurant de la nourriture à des foules d'étudiants, d'artistes et d'hommes d'affaires pressés.

Calzones Quatre-Saisons

Donne 6 calzones ou 6 portions

La cuisine italienne est intimement liée aux saisons. Essayez une de ces garnitures pour goûter à l'un des plaisirs de votre saison favorite.

LA GARNITURE D'AUTOMNE

• Dans un poêlon, à feu moyen-élevé, chauffer 3 c. à soupe d'huile d'olive. Y faire sauter l'oignon de 4 à 5 min jusqu'à ce que les bords soient dorés. Ajouter l'ail et cuire pendant environ 2 min jusqu'à ce qu'il soit doré. Retirer du feu, puis incorporer les champignons, les olives et la ricotta. Bien mélanger, puis ajouter le persil, le sel et le poivre. Réserver.

LA GARNITURE D'HIVER

• Dans un poêlon, à feu moyen-élevé, chauffer 3 c. à soupe d'huile d'olive. Y faire sauter l'oignon de 4 à 5 min jusqu'à ce que les bords soient dorés. Ajouter l'ail et cuire pendant environ 2 min jusqu'à ce qu'il soit doré. Ajouter le porc haché et cuire de 4 à 5 min jusqu'à ce qu'il soit bien doré. Verser la sauce et poursuivre la cuisson de 5 à 7 min jusqu'à ce qu'elle ait légèrement épaissi. Retirer du feu et incorporer la ricotta. Bien mélanger, puis ajouter le persil, le sel et le poivre. Réserver.

INGRÉDIENTS

LES CALZONES

• Pâte à pizza traditionnelle (voir p. 41) ou Pâte à pizza qui gonfle rapidement (voir p. 50)

LA GARNITURE D'AUTOMNE

• 3 c. à soupe d'huile d'olive extra-vierge, plus 2 c. à soupe pour badigeonner
• 80 g (1/2 tasse) d'oignon coupé en dés
• 1 gousse d'ail émincée
• 180 g (6 oz) de champignons sauvages grossièrement hachés
• 135 g (1 tasse) d'olives noires italiennes ou grecques, hachées
• 260 g (1 tasse) de fromage ricotta
• 1 c. à soupe de persil italien frais, émincé
• Sel et poivre noir fraîchement moulu, au goût

LA GARNITURE D'HIVER

• 3 c. à soupe d'huile d'olive extra-vierge, plus 2 c. à soupe pour badigeonner
• 80 g (1/2 tasse) d'oignon haché
• 1 gousse d'ail émincée
• 225 g (8 oz) de porc haché
• 125 ml (1/2 tasse) de Sauce pour l'amateur de pizza (voir p. 51)
• 260 g (1 tasse) de fromage ricotta
• 1 c. à soupe de persil italien frais, émincé
• Sel et poivre noir fraîchement moulu, au goût

LA GARNITURE DU PRINTEMPS

- 3 c. à soupe d'huile d'olive extra-vierge, plus 2 c. à soupe pour badigeonner
- 80 g ('/₂ tasse) d'oignon coupé en dés
- 225 g (8 oz) de fines tiges d'asperge blanchies et coupées en morceaux de 5 cm (2 po) de longueur
- 170 g (1 tasse) de pois frais
- 180 g (6 oz) de carottes blanchies et coupées en rondelles de 0,3 cm ('/₈ po) d'épaisseur
- 260 g (1 tasse) de fromage ricotta
- 1 c. à soupe de persil italien frais, émincé
- '/₂ c. à café ('/₂ c. à thé) de menthe fraîche, émincée
- Sel et poivre noir fraîchement moulu, au goût

LA GARNITURE D'ÉTÉ

- 3 c. à soupe d'huile d'olive extra-vierge, plus 2 c. à soupe pour badigeonner
- 80 g ('/₂ tasse) d'oignon haché
- 1 gousse d'ail émincée
- 225 g (8 oz) de courgettes coupées en tranches de 0,5 cm ('/₄ po) d'épaisseur, blanchies
- 6 tomates mûres, pelées et grossièrement hachées
- 180 g (6 oz) de mozzarella de bufflonne, coupée en dés
- 1 c. à soupe de persil italien frais, émincé
- 1 c. à soupe de basilic frais, émincé
- Sel et poivre noir fraîchement moulu, au goût

LA GARNITURE DU PRINTEMPS

- Dans un poêlon, à feu moyen-élevé, chauffer 3 c. à soupe d'huile d'olive. Y faire sauter l'oignon de 4 à 5 min jusqu'à ce que les bords soient dorés. Retirer du feu, puis incorporer les asperges, les pois, les carottes et la ricotta. Bien mélanger, puis ajouter le persil, la menthe, le sel et le poivre. Réserver.

LA GARNITURE D'ÉTÉ

- Dans un poêlon, à feu moyen-élevé, chauffer 3 c. à soupe d'huile d'olive. Y faire sauter l'oignon de 4 à 5 min jusqu'à ce que les bords soient dorés. Ajouter l'ail et cuire pendant environ 2 min jusqu'à ce qu'il soit doré. Retirer du feu, puis incorporer les courgettes, les tomates et la mozzarella. Bien mélanger, puis ajouter le persil, le basilic, le sel et le poivre. Réserver.

LES CALZONES

- Préchauffer le four contenant une pierre à pizza à 260 °C (500 °F) de 30 min à 1 h.

- Pétrir puis étirer chacune des boules de pâte à une épaisseur de 0,5 cm (¼ po) en laissant le bord extérieur légèrement plus épais. Chaque cercle doit avoir environ 10 cm (4 po) de diamètre. Déposer chaque cercle sur une palette à pizza enfarinée. Répartir la garniture également entre les 6 cercles, mais laisser 1,2 cm (½ po) libre tout autour. Replier chaque cercle en 2 en pinçant les bords pour bien les sceller. Badigeonner des 2 c. à soupe d'huile qui restent, puis glisser les calzones sur la pierre à pizza et cuire de 4 à 5 min ou jusqu'à ce que les bords soient bien dorés. Retirer du four et servir immédiatement.

Pizza au gorgonzola, aux poires et aux noisettes

- 750 ml (3 tasses) d'eau
- 210 g (1 tasse) de sucre cristallisé
- 3 poires fermes, pelées, évidées et coupées dans le sens de la longueur en tranches de 0,5 cm (¼ po) d'épaisseur
- Le jus de 1 citron
- 1 c. à café (1 c. à thé) de zeste de citron râpé
- Pâte à pizza traditionnelle (voir p. 41) ou Pâte à pizza qui gonfle rapidement (voir p. 50)
- 180 g (6 oz) de fromage gorgonzola ou dolcelatte
- 130 g (1 tasse) de noisettes écaillées, grillées et grossièrement hachées

Le gorgonzola, les poires et les noisettes forment un mélange divin. Vous pouvez servir cette pizza comme entrée, pour accompagner une salade verte ou à la fin du repas.

- Dans une grande casserole, porter l'eau à ébullition. Ajouter le sucre en brassant jusqu'à ce qu'il soit dissous. Ajouter les poires, le jus et le zeste de citron. Réduire à feu doux et laisser mijoter de 10 à 12 min jusqu'à ce que les poires soient tendres. Égoutter et laisser refroidir.

- Préchauffer le four contenant une pierre à pizza à 260 °C (500 °F) pendant au moins 30 min.

- Pétrir puis étirer chacune des boules de pâte à une épaisseur de 0,5 cm (¼ po) en laissant le bord extérieur légèrement plus épais. Chaque cercle doit avoir environ 10 cm (4 po) de diamètre. Déposer chaque cercle sur une palette à pizza enfarinée. Répartir les tranches de poire également entre les 6 morceaux de pâte en les disposant en cercles concentriques. Émietter le gorgonzola ou le dolcelatte sur le dessus, puis parsemer de noisettes.

- Glisser délicatement les pizzas sur la pierre à pizza et cuire de 4 à 5 min ou jusqu'à ce que les bords soient bien dorés. Retirer du four et servir immédiatement.

Piadina grillée

Donne 8 morceaux ou 4 portions

La piadina est un pain plat de la région de l'Émilie-Romagne. On peut s'en procurer – il existe tout un choix de garnitures – dans des comptoirs de mets pour emporter que l'on trouve dans les rues ou en bordure des grandes routes.

• Dans un grand bol, mélanger la farine, le sel et le bicarbonate de soude. À l'aide d'un coupe-pâte, couper le beurre dans les ingrédients secs jusqu'à ce que le mélange ait une consistance grossière. Ajouter suffisamment d'eau pour que les ingrédients de la pâte adhèrent ensemble. Sur un plan de travail légèrement enfariné, pétrir la pâte pendant quelques secondes jusqu'à ce qu'elle soit homogène et qu'elle ne colle pas.

• Diviser la pâte en 8 morceaux égaux. Sur un plan de travail légèrement enfariné, abaisser chaque morceau en un cercle de 15 cm (6 po) d'environ 0,3 cm (⅛ po) d'épaisseur.

• Chauffer un poêlon à fond épais à feu moyen-élevé et le badigeonner légèrement d'huile d'olive. Cuire les cercles de pâte pendant environ 1 min de chaque côté ou jusqu'à ce qu'ils soient dorés. Pendant la cuisson, badigeonner le poêlon d'huile, au besoin.

• Parsemer de Parmigiano-Reggiano, garnir de prosciutto et verser un filet de vinaigre balsamique. Plier en 2 et manger immédiatement.

- 260 g (2 tasses) de farine tout usage, non blanchie
- ½ c. à café (½ c. à thé) de sel
- ½ c. à café (½ c. à thé) de bicarbonate de soude
- 3 c. à soupe de beurre non salé
- 125 ml (½ tasse) d'eau tiède
- 3 c. à soupe d'huile d'olive extra-vierge pour la cuisson
- 120 g (1 tasse) de copeaux de fromage Parmigiano-Reggiano (utiliser un économe pour faire les copeaux)
- 8 fines tranches de prosciutto di Parma
- 1 c. à café (1 c. à thé) de vinaigre balsamique vieux

Pizza aux truffes noires et aux pommes de terre

Donne 6 pizzas de 25 cm (10 po) ou 6 portions

Dans la région de l'Ombrie, verte et montagneuse, on récolte des truffes noires à la saveur aromatique et fruitée qui caractérise l'automne. Cette pizza est inspirée d'un mariage délicieux avec un autre légume de saison, la pomme de terre.

• Préchauffer le four contenant une pierre à pizza à 260 °C (500 °F) pendant au moins 30 min.

• Dans un poêlon, à feu moyen-élevé, chauffer 3 c. à soupe d'huile d'olive. Y faire sauter l'oignon de 3 à 4 min jusqu'à ce qu'il soit tendre sans être doré. Ajouter les pommes de terre et cuire de 4 à 5 min jusqu'à ce qu'elles soient tendres. Incorporer la crème, le persil et le thym. Poursuivre la cuisson 3 à 4 min de plus jusqu'à ce que la crème ait légèrement épaissi. Saler et poivrer. Retirer du feu et laisser refroidir.

• Pétrir chaque boule de pâte, puis l'étirer à une épaisseur de 0,5 cm (¼ po) en laissant le bord extérieur légèrement plus épais. Chaque cercle doit avoir environ 25 cm (10 po) de diamètre. Déposer chaque cercle sur une palette à pizza enfarinée. Répartir la mozzarella fumée également sur les 6 cercles, puis l'étendre pour couvrir la surface, mais laisser 1,2 cm (½ po) libre tout autour. Disposer le mélange de pommes de terre uniformément sur la mozzarella. Verser un filet d'huile d'olive.

• Glisser les pizzas sur la pierre à pizza et cuire de 4 à 5 min ou jusqu'à ce que les bords soient bien dorés. Retirer du four, couper la truffe en lamelles, parsemer la pizza des copeaux de truffe et servir immédiatement.

- 3 c. à soupe d'huile d'olive extra-vierge, plus une quantité supplémentaire pour verser en filet
- 80 g (½ tasse) d'oignon grossièrement haché
- 3 pommes de terre pelées et coupées en tranches de 0,5 cm (¼ po) d'épaisseur
- 125 ml (½ tasse) de crème 35 %
- 1 c. à soupe de persil italien frais, émincé
- 2 c. à café (2 c. à thé) de thym frais, émincé
- Sel et poivre noir fraîchement moulu, au goût
- Pâte à pizza traditionnelle (voir p. 41) ou Pâte à pizza qui gonfle rapidement (voir p. 50)
- 340 g (12 oz) de mozzarella fumée, en tranches très fines
- 1 petite truffe noire

Pizza farcie

- 225 g (8 oz) d'aubergine pelée et coupée en dés
- Sel pour l'aubergine
- 3 c. à soupe d'huile d'olive extra-vierge, plus une quantité supplémentaire pour badigeonner
- 80 g (½ tasse) d'oignon haché
- 225 g (8 oz) de porc haché
- 2 gousses d'ail émincées
- 200 g (7 oz) de tomates italiennes fraîches, des San Marzano, de préférence, ou un autre type de tomates italiennes fraîches, hachées ou 200 g (7 oz) de tomates italiennes en conserve, égouttées et passées au moulin ou réduites en purée à l'aide d'un mélangeur ou d'un robot culinaire
- ¼ c. à café (¼ c. à thé) d'origan séché
- Sel et poivre noir fraîchement moulu, au goût
- Pâte à pizza traditionnelle (voir p. 41) ou Pâte à pizza qui gonfle rapidement (voir p. 50)

Le sfingione ou sfinciuni est une pizza sicilienne farcie très populaire. Cette version qui contient des ingrédients simples fait partie des aliments réconfortants.

- Sur une tôle à biscuits, étendre l'aubergine en formant une seule couche. La parsemer de sel, puis y déposer une autre tôle à biscuits pour faire un poids. Laisser ainsi pendant environ 1 h. Rincer l'aubergine, puis l'égoutter sur du papier essuie-tout.

- Dans un grand poêlon, à feu moyen, chauffer 3 c. à soupe d'huile d'olive. Ajouter l'oignon et cuire de 2 à 3 min jusqu'à ce qu'il soit tendre sans être doré. Ajouter le porc haché et cuire de 4 à 5 min jusqu'à ce qu'il soit bien doré. Ajouter l'aubergine et l'ail et cuire de 4 à 5 min, en brassant souvent. Ajouter les tomates et l'origan et cuire pendant environ 10 min jusqu'à ce que le mélange ait légèrement épaissi. Saler et poivrer au goût. Réserver.

- Préchauffer le four contenant une pierre à pizza à 260 °C (500 °F) pendant au moins 30 min.

- Pétrir chaque boule de pâte, puis l'étirer à une épaisseur de 0,5 cm (¼ po). Chaque cercle doit avoir environ 25 cm (10 po) de diamètre. Déposer 3 cercles sur une palette à pizza enfarinée. Répartir une partie de la garniture au milieu de chaque pizza, mais laisser 1,2 cm (½ po) libre tout autour de la pizza. Garnir chaque pizza d'un autre cercle de pâte en pinçant les bords pour bien sceller la pâte. À l'aide d'un couteau bien aiguisé, faire 3 incisions sur le dessus pour permettre à la garniture de respirer.

- Badigeonner d'huile d'olive et glisser les pizzas sur la pierre à pizza. Cuire de 4 à 5 min ou jusqu'à ce que les bords soient bien dorés. Retirer du four, couper en 2 et servir immédiatement.

Foccacia à la toscane

Donne 1 grosse focaccia ou 6 à 8 portions

LA BASE

- 195 g (1 ½ tasse) de farine tout usage, non blanchie
- 250 ml (1 tasse) d'eau tiède à une température de 25 à 30 °C (80 à 90 °F) pour la levure pressée ou à une température de 40 à 45 °C (105 à 115 °F) pour la levure sèche
- 1 bloc de levure fraîche pressée ou 1 sachet de levure sèche active

LA FOCACCIA

- 375 ml (1 ½ tasse) d'eau tiède à une température de 25 à 30 °C (80 à 90 °F) pour la levure pressée ou à une température de 40 à 45 °C (105 à 115 °F) pour la levure sèche
- 2 c. à café (2 c. à thé) de sel de mer
- 650 g (5 tasses) de farine tout usage, non blanchie
- 225 g (8 oz) de raisins rouges sucrés, sans pépins
- Huile d'olive extra-vierge pour verser en filet
- 2 c. à soupe de sucre cristallisé

La focaccia est maintenant connue partout dans le monde. Et en Italie, on la trouve bien sûr du nord au sud. La garniture varie selon les régions et selon les saisons.

LA BASE

• Dans le bol d'un batteur électrique résistant, mélanger la farine, 250 ml (1 tasse) d'eau et la levure. Couvrir le bol et laisser gonfler dans un endroit chaud pendant 3 h.

LA FOCACCIA

• Incorporer 375 ml (1 ½ tasse) d'eau, le sel de mer et 130 g (1 tasse) de farine dans la base. Incorporer le reste de la farine, 130 g (1 tasse) à la fois, jusqu'à ce que la pâte soit homogène et qu'elle ne colle plus. Sur un plan de travail légèrement enfariné, pétrir la pâte pendant 10 min jusqu'à ce qu'elle soit homogène et élastique. Transférer la pâte dans un bol légèrement huilé. Tourner la pâte dans le bol pour l'enduire d'huile. Couvrir d'une pellicule plastique et laisser gonfler pendant 1 h dans un endroit chaud à une température d'environ 25 °C (75 °F), à l'abri des courants d'air ou jusqu'à ce que la pâte ait doublé de volume.

• Déposer la pâte sur un plan de travail légèrement enfariné et l'étirer en un cercle de 2,5 cm (1 po) d'épaisseur. Déposer le cercle sur une palette à pizza enfarinée. À l'aide du bout des doigts, faire de petites marques de 0,5 cm (¼ po) de profondeur sur la surface de la pâte. Presser délicatement les raisins entiers sur le dessus de la pâte en les répartissant également sur toute la surface. Laisser reposer pendant 30 min.

• Préchauffer le four contenant une pierre à pizza à 220 °C (425 °F) de 30 min à 1 h.

• Verser un filet d'huile d'olive sur la pâte, puis parsemer de sucre. Cuire pendant environ 30 min jusqu'à ce que le bord soit bien doré. Servir immédiatement.

Ciro a Santa Brigida
(081) 23.37.71 ou 552.4072
Via Santa Brigida, 71/74

Lombardi a Santa Chiara
(081) 552.0780
Via Benedetto Croce, 59

Di Matteo
(081) 45.52.62
Via Tribunali, 94

Da Michele (Pizzeria Condurro)
(081) 553.9204
Via Cesare Sersale, 1

Brandi
(081) 41.69.28
Salita Sant'Anna di Palazzo, 1

Capasso
(081) 45.64.21
Via Porta San Gennaro, 2-3

Antica Pizzeria Port'Alba
(081) 45.97.13
Via Port'Alba, 18

Umberto
(081) 41.85.55
Via Alabardieri, 30

Gorizia
(081) 578.2248
Via Bernini, 29

Don Salvatore
(081) 68.18.17
Via Mergellina, 4/a

Cantanapoli
(081) 764.6110
Via Chiatamone, 36

Trianon da Ciro
(081) 553. 9426
Via Colletta, 46

Remerciements

Pamela Sheldon Johns et Jennifer Barry Design tiennent à remercier les personnes et les maisons suivantes pour leur aide et leur soutien :

Courtney Johns pour l'appui indéfectible et pour avoir goûté toutes les recettes ; Richard et Juliet Jung pour vous être rendus à Naples afin de photographier toutes les merveilleuses pizzérias qui font maintenant partie de ce livre ; en plus des splendides photos des recettes de Richard Jung, nous avons aussi grandement apprécié le travail du styliste culinaire Pouké qui a su donner à chaque recette une allure sensationnelle, celui de Carol Hacker, styliste qui était chargée des accessoires et celui de Ivy, assistant photographe. Un gros merci aussi à Lucy de Fazio, Philippa Farrar, Linda Hale, Mari Bartoli, Ann Sprecher, Edna Sheldon et Gioia Bartoli-Cardi qui nous ont aidées de plusieurs façons dans ce projet. Merci également à la boutique Sur la table, de San Francisco pour les accessoires et la vaisselle.

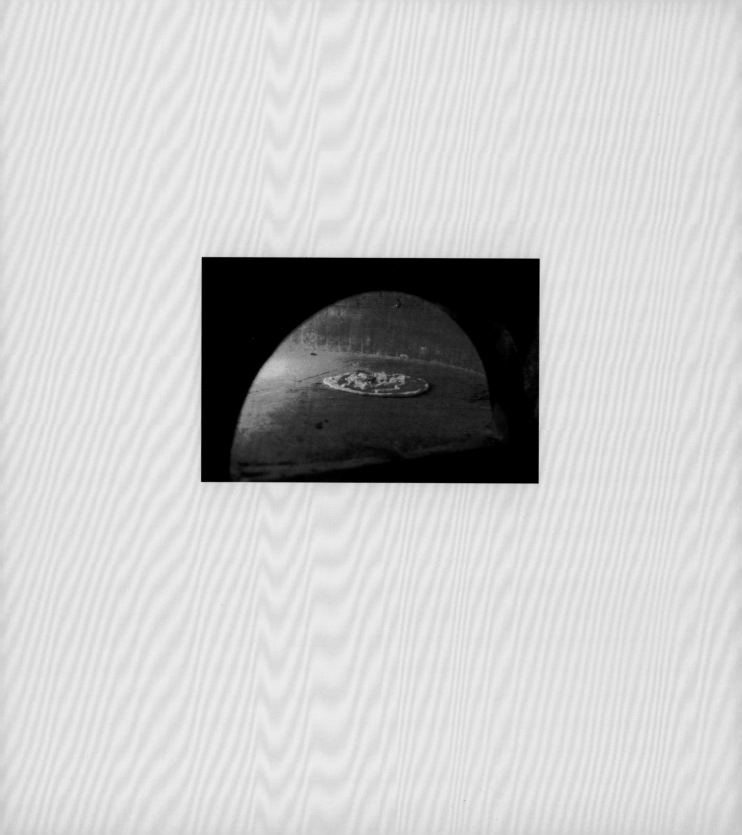

C
Calzone aux tomates séchées à la calabraise, 97
Calzones frits, 98
Calzones Quatre-Saisons, 100

F
Foccacia à la toscane, 109

I
Immense pizza des réceptions, 60

M
Mini-pizzas, 91

P
Pâte à pizza à la semoule de blé tendre, 82
Pâte à pizza qui gonfle rapidement, 50
Pâte à pizza traditionnelle DOC, 41
Piadina grillée, 104
Pizza à l'ail grillé, 83
Pizza à la saucisse et aux rapinis, 66

Pizza à la scarole, 92
Pizza au gorgonzola, aux poires et aux noisettes, 103
Pizza au prosciutto et à la roquette, 62
Pizza aux artichauts et aux poivrons, 52
Pizza aux champignons, 65
Pizza aux crevettes, aux poivrons grillés et au pesto, 94
Pizza aux fruits de mer, 71
Pizza aux olives, aux anchois, aux tomates et aux câpres, 75
Pizza aux olives noires, aux anchois et aux tomates, 88
Pizza aux palourdes, 72
Pizza aux tomates vertes et à la mozzarella, 57
Pizza aux trois tomates, 86
Pizza aux truffes noires et aux pommes de terre, 106
Pizza blanche, 76
Pizza du jardin, 68

Pizza d'un mètre de longueur, 78
Pizza farcie, 107
Pizza frite, 77
Pizza garnie d'un œuf, 58
Pizza Huit-Saisons, 56
Pizza lasagne du restaurant Trianon, 61
Pizza Margherita aux champignons et au jambon, 67
Pizza Margherita DOC, 45
Pizza Margherita Extra DOC, 46
Pizza Marinara DOC, 42
Pizza Quatre-Saisons, 55
Pizza romaine, 87
Pizza roulée, 93
Pizza sicilienne, 85

S
Sauce pour l'amateur de pizza, 51

INTRODUCTION 7

∎

LES PIZZAS NAPOLITAINES TRADITIONNELLES 33

∎

LES SPÉCIALITÉS DES PIZZÉRIAS NAPOLITAINES 49

∎

LES PIZZAS DES RÉGIONS DE L'ITALIE 81

∎

LES PIZZÉRIAS DE NAPLES 111

∎

INDEX 115

Achevé d'imprimer au Canada
sur les presses de Quebecor World, Saint-Jean.